Gewoonweg verdwenen

Uitgever: Compaan uitgevers, Maassluis
Eerste druk: november 2011
ISBN: 978-94-903746-0-0
NUR: 283 - 284

Gewoonweg verdwenen

Greet Beukenkamp

2011

Inhoud

1. Vakantie?

'Ik wens jullie allemaal een heel fijne herfstvakantie,' zegt de meester als de bel gaat.

De kinderen wensen hem hetzelfde en haasten zich met veel lawaai de klas uit.

'En niet vergeten wat ik jullie geleerd heb,' roept de meester nog. 'Over een halfjaar hebben jullie de Citotoets.' Maar niemand lijkt hem nog te horen.

Marnix staat ook op. De Cito-toets, dat is wel het laatste waar hij zich druk over maakt. Hij stopt zijn pen in zijn etui, klapt zijn agenda dicht en zet zijn rugzak op het tafeltje. Met trage bewegingen stopt hij zijn spullen erin.

'Is er wat, Marnix?' vraagt de meester.

Marnix buigt zich nog dieper voorover. 'N... nee hoor, er is niks,' antwoordt hij, maar hij kan niet voorkomen dat zijn stem even hapert.

'Je zat er vandaag zo afwezig bij.'

Marnix haalt zijn schouders op. 'Gewoon een beetje laat naar bed gegaan,' zegt hij.

'Ja, je ziet er inderdaad moe uit,' zegt de meester.

'Kruip er vanavond maar eens vroeg in.'

Marnix knikt alleen en na nog een korte groet maakt hij zich snel uit de voeten.

In de gang staan nog een paar meisjes met elkaar te praten. Judith lacht even naar hem als hij haar passeert. Een beetje gespannen lacht hij terug. Zodra hij de school uit stapt, ademt hij de frisse buitenlucht diep in. Een vage geur herinnert hem eraan dat het nu echt herfst aan het worden is. Toch is het nog steeds warm. Terwijl hij het schoolplein oversteekt, kijkt hij of hij Myrthe en Max ziet. Ze staan niet bij het hek. Daar zouden ze toch op hem wachten? Mam heeft niet graag dat ze zonder hem naar huis lopen. Max is nog geen zes en Myrthe mag dan misschien tien zijn, maar ze kan soms zo in gedachten zijn dat ze helemaal vergeet op hem te letten.

Gelukkig ziet Marnix even verderop hun auto langs de stoep staan. Op de achterbank zitten zijn broertje en zusje heftig naar hem te wenken. Zou er iets zijn? Marnix begint te rennen. Als hij bij de auto is, ziet hij dat zijn vader achter het stuur zit. Hij buigt zich over naar het rechterportier en opent het.

'We gaan met vakantie!' roept Myrthe.

'Wanneer?' vraagt Marnix.

'Nu, meteen!'

'Hè? Ik dacht...' Marnix aarzelt. Ging het dan toch door? 'Waar gaan we naartoe?' vraagt hij.

'Dat is een verrassing!' Max wipt enthousiast op en neer op de achterbank.

Marnix kijkt vragend naar zijn vader, maar die zegt

alleen dat hij in moet stappen. Terwijl hij zijn gordel vastmaakt, rijden ze weg. Vakantie... Marnix weet niet of hij daar nu wel zo'n zin in heeft.

Een poosje geleden had mam voorgesteld om er in de herfstvakantie een weekje tussenuit te gaan, maar pap had gezegd dat hij daar niet voor in de stemming was. Toen ze aandrong, was hij kwaad geworden. Daarna had Marnix ze er niet meer over horen praten. En dan nu opeens toch op vakantie...?

De sfeer in huis was de laatste tijd niet echt gezellig. Om de haverklap maakten pap en mam ruzie en die van gisteren was veel erger dan anders. Pap had al een pokkenhumeur toen hij thuiskwam uit school en toen mam vroeg wat er was, zei hij dat ze niet aan zijn kop moest zeuren. Logisch dat mam was ontploft.

Marnix had de rest van de ruzie niet meer willen horen en was naar zijn kamer gevlucht, maar ook daar had hij ze tegen elkaar horen schreeuwen. Tijdens het eten hadden ze zwijgend en met strakke gezichten aan tafel gezeten. Later die avond, toen hij al in bed lag, waren ze verdergegaan met ruziën. Marnix zucht. Dat kan nog gezellig worden.

Plotseling moeten ze remmen voor een fietser die onverwacht linksaf slaat. Pap vloekt. Terwijl hij weer optrekt, ziet Marnix hoe hij een trek van zijn sigaret neemt en de rook diep inhaleert. Sinds een paar weken is pap weer gaan roken en toen mam er wat van zei, snauwde hij dat ze zich er niet mee moest bemoeien.

Toen pap de kamer uit was, had mam geprobeerd om zijn woorden goed te praten. 'Je vader is de laatste tijd weer wat overspannen,' had ze gezegd. 'Al die extra uren worden hem gewoon teveel. Die collega van hem is nu al bijna zes maanden ziek. De directeur had beloofd dat er aan het begin van dit schooljaar een vervanger zou zijn, maar die is er nog steeds niet. En je weet hoe je vader is: die gaat door tot hij erbij neervalt. Straks is hij net zo overspannen als die collega van hem.'

Het zou Marnix niets verbazen. Elke dag kwam pap doodmoe thuis en 's avonds moest hij dan vaak nog de proefwerken van de kinderen nakijken. En als hij nu een leuk vak had, maar wiskunde... Hij kijkt naar het vermoeide gezicht van zijn vader. Twee jaar geleden was hij ook al eens overspannen geweest. Toen moest hij van de dokter op vakantie. Oma en opa waren bij hen in huis gekomen en pap was toen samen met mam twee weken naar Thailand geweest. Ze kwamen bruinverbrand terug en het had hen allebei zichtbaar goed gedaan. Waarom deden ze dat niet nog een keer? Dat was toch veel beter dan met zijn allen... 'Hé, moeten we hier niet rechtsaf?' vraagt Marnix opeens.

'Nee,' zegt zijn vader alleen.

Verbaasd ziet Marnix dat ze ook de volgende zijstraat voorbijrijden. 'Moeten we mam dan niet ophalen?' vraagt hij.

'Nee, die gaat niet mee.'

'Hè?' roept Mythe vanaf de achterbank. 'Waarom niet?'

'Omdat ze geen vrij kon krijgen. Er zijn een paar collega's ziek op haar werk.'

'Maar ik wil niet op vakantie zonder mama.' Myrthes stem klinkt teleurgesteld.

'Ik ook niet,' valt Max haar bij.

Marnix ziet het gezicht van zijn vader verstrakken.

'Fijn, dat enthousiasme van jullie,' sniert hij. 'Bedenk ik iets leuks, is het weer niet goed.'

Marnix fronst. Dus het was een idee van pap. 'Wílde mam soms niet mee?' vraagt hij.

'Hoe kom je daar nou weer bij,' antwoordt zijn vader geïrriteerd. 'Ik zei toch dat ze geen vrij kon krijgen?'

Marnix vraagt maar niets meer. Hij zou willen dat hij ook een smoes had om niet mee te hoeven, want als pap zo vervelend blijft doen, is hij net zo lief thuis. 'Waar gaan we eigenlijk heen, pap?' vraagt hij zo opgewekt mogelijk.

'Dat zal je wel zien,' is het antwoord.

Marnix kijkt om naar Myrthe. Misschien weet zij meer, maar zijn zusje zit op de achterbank mokkend voor zich uit te kijken. Door al dat geruzie tussen pap en mam is ze de laatste tijd behoorlijk chagrijnig. Max lijkt het niet te deren. Soms zit hij op de bank met zijn Nintendo te spelen en dan lijkt het alsof het geschreeuw gewoon langs hem heen gaat.

Vanuit zijn ooghoeken ziet Marnix opeens dat Max achterstevoren over de rugleuning van de achterbank hangt en aan iets plukt dat in de kofferbak van de stationwagen ligt. Hij zit niet in zijn kinderzitje en heeft ook zijn gordel niet om. Marnix wil er net iets van zeggen als zijn broertje zich omdraait.

'Waarom liggen de slaapzakken achterin, papa?'

vraagt hij.

'Omdat we gaan kamperen.'

'Kamperen?' roept Max opgetogen. 'Leuk!' Hij laat zich van de bank glijden en steekt zijn hoofd tussen de twee stoelen naar voren. 'Met de tent?'

'Ja, met onze oude tent. Hij ligt ook achterin.'

'Is dat niet veel te koud?' vraagt Marnix. 'Het is al half oktober.'

Zijn vader lacht kort. 'Jullie zijn toch geen watjes?'

'Als we dan toch op vakantie moeten, was ik veel liever met de caravan gegaan,' moppert Myrthe. 'Daar zit tenminste verwarming in.'

'Op vakantie móéten?' roept pap opeens nijdig. 'Ik dacht jullie een plezier te doen door er een weekje op uit te gaan.'

'Ik vind het wel leuk met de tent, hoor,' zegt Max.

'Ik ook,' voegt Marnix er haastig aan toe. 'In elk geval wel als het zulk mooi weer blijft als vandaag.' Hoewel hij helemaal geen zin heeft in vakantie wil hij het gezellig houden.

Zijn vader neemt de linker rijbaan. Ze gaan inderdaad de stad uit. Marnix' blik is op het drukke verkeer voor hem gericht, maar hij ziet niets. Er zijn zoveel vragen die door zijn hoofd spoken. Waarom heeft mam niets over paps vakantieplannen gezegd? Of mocht ze dat niet van hem omdat het een verrassing moest blijven? Vanmorgen bij het ontbijt was ze inderdaad erg stilletjes geweest. Hij had gedacht dat het vanwege die ruzie van gisteren was, maar daar is hij nu niet zo zeker meer van. Ze was naar haar werk gegaan zonder hen speciaal gedag te zeggen en dat terwijl ze elkaar een hele week lang niet zouden zien... 'Weet mam eigenlijk wel dat we op vakantie zijn?' vraagt hij opeens. 'Pas op!' roept hij verschrikt.

Net op tijd stuurt zijn vader naar links. De automobilist op de baan naast hen toetert en wijst boos op zijn voorhoofd.

'Dat scheelde niet veel,' zegt Marnix. 'De spiegels raakten elkaar bijna.'

'Hmm,' bromt zijn vader alleen.

'Doe niet zo stom,' hoort Marnix zijn zusje opeens zeggen. Hij kijkt om. Nog net ziet hij hoe Max zijn tong tegen de man uitsteekt.

'Max, doe normaal,' moppert hij, 'en doe je gordel om.'

Tegen verwachting gehoorzaamt zijn broertje zonder te protesteren. Ze slaan linksaf de rondweg op. Het is druk, alsof iedereen met vakantie gaat. Voor hen rijdt een volgepakte auto met fietsen achterop en in de auto naast hen zit een gezin met kinderen, net als zij, maar wel met een vader én een moeder. Marnix kijkt naar zijn eigen vader. Zijn gezicht staat gespannen en hij durft zijn vraag niet goed te herhalen. Het leek wel of pap ervan schrok. Alleen waarom?

Plotseling houdt hij zijn adem in. Pap zal toch niet met hen weg zijn gegaan zonder het mam te vertellen? Of toch wel? Maar dan moet ze toch gemerkt hebben dat pap de kampeerspullen van zolder haalde? 'Wanneer heb je de auto eigenlijk ingepakt?' vraagt hij terloops.

Het duurt even voordat zijn vader antwoordt.

'Vanmorgen.'

'Moest je dan geen les geven?'

'Jawel...' Er verschijnt een scheef lachje om zijn mond, 'maar ik heb me ziek gemeld.'

'Òòòhhh,' klinkt Max' stemmetje van de achterbank. 'Dan ben je dus schoolziek.'

'Dat moesten wij eens doen,' zegt Myrthe gemaakt verontwaardigd.

Marnix ziet hoe pap haar in de achteruitkijkspiegel een knipoog geeft waardoor hij de oplichtende remlichten voor hem niet ziet. 'Kijk uit!' roept hij.

Zijn vader trapt hard op de rem. Terwijl de banden over het asfalt gieren, schiet Marnix naar voren. Hij wordt opgevangen door zijn gordel. Vlak achter de auto met de fietsen komen ze tot stilstand. Marnix' hart bonst in zijn keel. Als hij niet gewaarschuwd had waren ze erbovenop geknald. Dit is al de tweede keer dat ze bijna een aanrijding hebben...

De auto's zijn weer gaan rijden en met een nijdige beweging schakelt zijn vader terug naar de eerste versnelling. Hij trekt zo hard op dat hij een seconde later alweer moet remmen. Marnix heeft zijn vader nog nooit zo gespannen gezien.

Opnieuw gaan zijn gedachten terug naar gisteravond. Dachten pap en mam nou echt dat hij hun geruzie niet kon horen? Hij had er niet van kunnen slapen. Hij zag aldoor Joeri voor zich. De ouders van zijn vriend waren kort geleden uit elkaar gegaan en die hadden ook altijd ruzie. Nu woont Joeri bij zijn moeder, maar zijn vader wil dat hij bij hem komt wonen.

Laatst zat Joeri zelfs in de klas te huilen.

Als pap en mam maar niet gaan scheiden, denkt Marnix benauwd. En als dat toch gebeurt, bij wie zou hij dan willen wonen? In elk geval wil hij niet gescheiden worden van Max en Myrthe. Maar als ze met z'n drieën bij mam blijven dan is pap alleen... En als...

Hij voelt zich steeds benauwder worden. Zou pap daarom met hen zijn weggegaan? Omdat hij wil dat ze bij hém blijven? Hij had zoiets wel eens op de televisie gezien: een vader die zijn kinderen van school haalde en ze dan meenam naar een of ander ver land. Die kinderen zagen hun moeder daarna nooit meer terug. Zoiets zal pap toch niet doen? Trouwens, waar zou hij met hen naartoe kunnen?

Bedrukt kijkt Marnix naar het verkeer. Opeens hoort hij het getik van de richtingaanwijzer en ziet hij hoe zijn vader de oprit naar de snelweg neemt. 'Eindhoven Maastricht' leest hij in de gauwigheid op het bord langs de weg. Ze gaan dus naar het zuiden.

Spanje, gaat het opeens door hem heen. Daar woont paps zus. Samen met haar man heeft ze indertijd een camping in de buurt van Barcelona overgenomen. In de voorjaarsvakantie zijn ze daar nog met zijn allen geweest. Pap had toen gezegd dat Spanje hem ook wel wat leek: de zee vlakbij, het hele jaar lekker weer en wiskunde kon hij daar ook geven.

'Gaan we soms naar tante Jeanette?' vraagt Marnix gespannen.

Zijn vader kijkt hem verstoord aan. 'Hoe kom je daarbij?'

'Nou ja, i...ik dacht...'

'Het zou misschien wel kunnen.' Zijn vader knikt nadenkend, dan schudt hij zijn hoofd. 'Een week is daar eigenlijk wat te kort voor,' gaat hij verder. 'Bovendien heb ik geen zin om zo'n heel eind te rijden.'

Het stelt Marnix een beetje gerust. Misschien heeft hij het mis en wil pap er echt een weekje tussenuit.

'Gaan we soms naar die camping in Frankrijk, die met dat zwembad, waar we een paar jaar geleden ook zijn geweest?' vraagt Myrthe.

'Zover komen we vandaag niet,' antwoordt pap. 'En hou nou eens op met dat gevis,' valt hij opeens tegen haar uit. 'Je zal wel zien waar we heen gaan.'

'Ik vraag al niks meer,' moppert Myrthe.

Net als mam altijd doet, klapt Marnix de zonneklep aan zijn kant naar beneden en kijkt in het spiegeltje. Myrthe zit met een verongelijkt gezicht voor zich uit te staren. Om haar een beetje op te monteren, geeft hij haar een knipoog. Ze ziet het niet. Max kijkt ook niet erg vrolijk. Hij hangt achterover in zijn zitje en peutert in zijn neus.

Om de gespannen sfeer wat te breken, buigt Marnix zich voorover en zet de radio aan. Hij valt midden in het nieuws. Normaal luistert hij er nooit naar, maar nu laat hij het aanstaan. Ergens in zijn achterhoofd verwacht hij toch een bericht over een vader die zijn drie kinderen heeft ontvoerd, maar het komt niet. Het weerbericht volgt.

'Het blijft mooi weer,' zegt Mythe als de nieuwslezer zwijgt.

Niemand reageert en als er reclame komt, zet Marnix de radio uit. Kon hij mam maar bellen. Hij wil weten of pap haar verteld heeft van deze vakantie. Opeens schiet hem te binnen dat hij zijn mobieltje bij zich heeft. Hij buigt zich al over zijn rugzak om het eruit te halen, maar hij bedenkt zich. Pap wil misschien niet dat hij mam belt. Zeker als ze van niets weet.

Marnix kijkt onopvallend op zijn horloge: tien over half vier. Ze is pas over twee uur thuis, maar hij zou haar op haar werk kunnen bellen.

'Ik heb dorst,' komt Max' hoge stem opeens van de achterbank.

'Ik eigenlijk ook wel,' zegt Myrthe. 'Kunnen we niet ergens wat gaan drinken, pap?'

'Nee,' antwoordt hij kortaf. 'We hebben drinken bij ons.'

'Waar dan?' vraagt Myrthe.

'In die doos in de achterbak.'

Marnix kijkt om naar Myrthe die haar gordel heeft losgemaakt en op haar knieën over de rugleuning hangt. 'Hebben we ook brood bij ons?' vraagt ze.

'Dat moet ook in die doos zitten.'

'Ik heb alleen een brood in een plastic zak gezien.'

'Is dat niet goed dan?'

Het blijft even stil. 'Mam maakt altijd broodjes klaar als we op vakantie gaan,' zegt Myrthe teleurgesteld, 'en ze neemt allemaal lekkers mee voor onderweg. Ik had net zo'n trek in een snoepje.'

Marnix ziet dat zijn vader weer boos wordt en gebaart dat ze beter haar mond kan houden. Gelukkig doet ze dat ook. Ze schroeft de dop van de cola en neemt een paar slokken. Dan geeft ze de fles aan Max die hem meteen aan zijn mond zet.

'Drink je niet alles op?' zegt Myrthe. 'De anderen willen ook nog... Hé,' onderbreekt ze zichzelf, 'er komt zo een benzinestation. Kunnen we daar niet even stoppen, pap?'

'Waarom?'

'Om wat lekkers te kopen.'

'Daar hebben we geen tijd voor,' bromt pap. 'Ik wil de tent graag voor donker opzetten.'

'Is het dan nog ver?' vraagt Marnix.

'Ja.' Het antwoord komt er zo nors uit dat Marnix zijn mond maar houdt. Ze rijden de oprit naar het benzinestation voorbij. Waarom heeft pap zo'n haast? Het zou kunnen betekenen dat zijn vader zo snel mogelijk het land uit wil, de grens over. Dus toch een ontvoering...?

2. Een beetje verzopen

Marnix' ogen gaan open als de auto afremt. Heeft hij geslapen? Een beetje verdwaasd kijkt hij om zich heen. Ze passeren een rij benzinepompen en daarna een klein restaurant. 'Wa...wat gaan we doen?' vraagt hij.

'Ik moet plassen,' zegt Max vanaf de achterbank. 'Ik hou het niet meer.'

'Had je ook maar niet zoveel cola moeten drinken,' zegt Myrthe een beetje zuur. 'Je doet het toch niet in je broek, hè?'

'Ik doe het nooit in mijn broek!' roept Max verontwaardigd.

'Wel waar!' roept Myrthe. 'Weet je nog toen je...'

'Hou op met dat geruzie,' moppert Marnix. De laatste tijd kan zijn zusje bijna net zo vervelend doen als pap. Gisteren zei mam er nog wat van. Opeens schiet hem te binnen dat hij zijn moeder zou bellen... Als hij nu met Max meeloopt naar de wc dan... Maar pap heeft de auto nog niet tot stilstand gebracht, of Max springt eruit.

'Wacht!' roept Marnix, terwijl hij zijn rugzak uit de

auto grist. 'Ik ga met je mee.'

'Ik plas liever alleen,' zegt zijn broertje en hij rent over het grasveld naar de bosjes erachter.

Marnix is even sprakeloos. Hoe moet hij zijn plannetje nu uitvoeren? 'Kom terug!' roept hij boos. 'Het is daar hartstikke smerig. De wc van het benzinestation is maar een klein stukje lopen.'

'Dat haal ik niet meer,' roept Max terug en verdwijnt de bosjes in.

'Hij kan misschien in de bosjes plassen, maar ik niet,' hoort hij Myrthe achter zich mopperen. 'Ik kijk wel mooi uit. Ik ga daar wel.' Ze wijst naar het benzinestation.

'Dan loop ik met je mee,' zegt Marnix. Tersluiks kijkt hij naar zijn vader, maar die steekt net een sigaret op en let niet op hem.

Bij het damestoilet staat een heel rijtje, maar bij de heren staat niemand. Haastig gaat Marnix naar binnen. Hij neemt de laatste wc. Terwijl in het toilet naast hem de wc wordt doorgetrokken haalt Marnix zijn mobieltje te voorschijn. Hij wacht. Niemand heeft iets te maken met wat hij te zeggen heeft. Dan wordt de deur naast hem van het slot gedraaid en klinken er voetstappen door de toiletruimte, gevolgd door het geluid van water dat in een wasbak klatert. Nerveus tikt Marnix met zijn vingers tegen de betegelde wand. Hij wou dat die vent ophoepelde, dan kon hij tenminste bellen. Eindelijk wordt de kraan dichtgedraaid en even later slaat de deur van de toiletruimte dicht.

Meteen belt Marnix het doorkiesnummer van zijn moeder. De telefoon gaat over, maar er wordt niet opgenomen. Zou ze soms al naar huis zijn? Net wil hij de verbinding verbreken om mam op haar gsm te bellen, als hij wordt doorverbonden met de telefoniste. 'Met Marnix de Jong,' zegt hij. 'Ik probeer mijn moeder te bereiken. Is ze soms al naar huis?'

Het blijft even stil aan de andere kant van de lijn. 'Nee, volgens mij niet, maar ze zit niet op haar plaats. Zal ik vragen of ze je terugbelt?'

'Nee, dat kan niet. Weet u niet waar ze is? Ik moet haar heel dringend spreken.'

Opnieuw blijft het een ogenblik stil. 'Wacht maar,' zegt de telefoniste dan, 'ik ga kijken of ik haar kan vinden. Kan je even aan de lijn blijven?'

'Ja, dat is goed.' Hij wacht ongeduldig en luistert intussen naar het ruisen van het water in de wc naast hem. Boven zijn hoofd hangt een rommelig spinnenweb, maar de spin is nergens te bekennen.

Opeens is daar de stem van de telefoniste weer: 'Je moeder komt eraan,' zegt ze. 'Ze is op weg naar haar kamer, dus ze zal de telefoon zo wel opnemen.'

'O fijn. Dank u wel.' Marnix' hart begint sneller te kloppen. Met zijn voet op de rand van de wc en zijn elleboog op zijn knie gesteund, wacht hij op de stem van zijn moeder. Er is een lichte ruis op de lijn. Plotseling hoort hij de deur van de toiletruimte opengaan. 'Marnix, ben je hier?' Het is zijn vader.

Marnix schrikt zo dat zijn voet van de wc-rand afglijdt. Terwijl hij voorover valt en steun zoekt tegen de muur erachter, glipt het mobieltje uit zijn hand. Met een harde tik valt het op de rand van de pot, dan is er een zachte plons. 'Néééé,' kermt hij luid.

'Marnix, wat is er?' De stem van zijn vader klinkt ongerust.

Marnix weet zo gauw niet wat hij moet zeggen. Hij kan alleen maar naar het zwarte toestelletje kijken dat onder in de wc ligt. Het water ziet er vrij schoon uit, maar toch...

'Marnix, zit je hier?' Er wordt op de deur geklopt.

Hij aarzelt even. 'Ja, ik ben hier.'

'Wat is er aan de hand?'

Opnieuw aarzelt hij. 'Mijn telefoontje is in de wc gevallen,' zegt hij dan toch maar.

Het blijft even stil achter de deur. 'Was je aan het bellen?' vraagt zijn vader dan.

'Ja.'

'Met wie?'

Marnix geeft niet meteen antwoord. Hij wil de reactie van zijn vader zien als hij vertelt dat hij mam probeerde te bellen. 'Wacht even,' zegt hij daarom. Met een gevoel van walging steekt hij zijn hand in het water onderin de wc. Hij laat het toestel uitdruipen. Als hij op een van de toetsjes drukt, licht het schermpje nog even op, dan wordt het zwart.

'Wat ben je nou aan het doen?' klinkt het aan de andere kant van de deur.

'Kijken of hij het nog doet.'

'En?'

'Hij is kapot.' Marnix doet de deur van de knip en trekt hem open.

Onderzoekend kijkt zijn vader hem aan. 'Met wie

belde je nou eigenlijk?' vraagt hij.

'Met mam.' Marnix ziet hoe zijn vader even met zijn ogen knippert.

'Wat zei ze?' Paps stem klinkt gespannen.

'Niets.'

'Hoezo niets?'

'Ze nam niet op.'

'Dus je hebt haar niet gesproken?'

'Nee.' Marnix meent iets van opluchting op het gezicht van zijn vader te bespeuren. Opeens heeft hij een idee. 'Mag ik jouw telefoontje even?' vraagt hij.

De aarzeling van zijn vader is net lang genoeg om te weten dat wat hij gaat zeggen niet waar is. 'Ik zag net dat het leeg is en ik ben vergeten mijn oplader mee te nemen.'

Marnix is even sprakeloos. 'Dus we kunnen helemaal niet bellen, of gebeld worden?'

'Nee, maar is dat dan nodig?' Zijn vader lacht kort. 'Ik ben juist blij dat ik even verlost ben van dat ding. Vakantie of niet, de directeur weet me altijd te vinden.'

'Maar mam kan ons nu ook niet bereiken,' merkt Marnix op.

'Nee.' Abrupt draait zijn vader zich om en gaat een van de toiletten binnen. Verbouwereerd staart Marnix naar de deur waarachter hij is verdwenen. Dan wast hij boos zijn handen. Hij houdt zijn mobieltje nog even onder de kraan, niet alleen om de eventuele viezigheid eraf te wassen, maar ook met de vage hoop dat schoon water het weer tot leven kan brengen. Het doet niets meer.

Als hij bij de auto aankomt, zit Max een beetje verloren op de stoeprand. 'Waar is Myrthe?' vraagt hij.

Marnix moet even nadenken. 'Nog op de wc, geloof ik.' Hij was zijn zusje helemaal vergeten.

'Papa moest ook plassen,' gaat Max verder.

'Ja, dat weet ik.'

'Wat heb je daar in je hand?' vraagt Max.

'Mijn mobieltje,' antwoordt Marnix.

Opeens worden Max' ogen groot van schrik. 'Er drupt water uit!' roept hij.

Marnix lacht een beetje zuur. 'Ik heb het in de plee laten vallen en nu is hij een beetje verzopen.'

Max giechelt. 'Zat je te poepen?'

'Nee, dat moest er nog bij komen.'

'Hoe is het er dan in gevallen?'

'Gewoon, ik stond te bellen en toen viel het uit mijn handen.'

'Precies in de pies.' Max schatert. 'Dat rijmt,' proest hij.

'Ja, lach er maar om,' moppert Marnix, 'maar nu is hij wel kapot.'

'Heb je het er met je handen uit moeten halen?' Max' gezicht vertrekt van afgrijzen.

'Ja, hoe anders?'

'Je had het ook door kunnen trekken,' ginnegapt Max.

'Maar ik wilde weten of hij het nog deed.'

'En?'

Marnix trekt een treurig gezicht. 'Overleden,' zegt hij alleen.

'Met wie belde je eigenlijk?'

'Met mam.'

Max' gezicht klaart op. 'Ze vond het zeker wel jammer dat ze niet mee kon?'

'Ik heb haar niet aan de telefoon gehad.'

'Was ze er niet?'

'Jawel, maar toen viel net mijn mobieltje in de plee.'

Max haalt zijn neus op. 'Sukkel,' zegt hij.

Marnix doet zijn mond al open voor een weerwoord als hij zijn vader vanachter een paar auto's tevoorschijn ziet komen. Myrthe loopt naast hem. 'Kijk eens wat we hebben!' roept ze al van verre. Ze houdt twee plastic zakken omhoog. 'Patat en iets te drinken!'

'Joehoe,' gilt Max en rent naar haar toe.

Myrthe slingert de zakken achter haar rug. 'Eerst je handen wassen,' zegt ze.

'Ik heb schone handen,' roept Max.

'Niet waar, je hebt net in de bosjes staan plassen.'

'Nou en?' Max veegt zijn handen aan zijn broekspijpen af. 'Zo, schoon,' zegt hij.

Myrthe trekt een vies gezicht en haalt een bakje friet uit een van de zakken. 'Deze is met mayo,' zegt ze. 'Die is voor Marnix.' Ze geeft hem het bakje en kijkt weer in de zak. 'En deze met tomatenketchup is voor jou. En ik wil alleen maar friet.' Ze propt de zak in elkaar, gaat op de stoeprand zitten en steekt een frietje in haar mond.

'Is er niks voor pap?' vraagt Max.

'Die wilde niet,' antwoordt Myrthe.

Marnix ziet hoe zijn broertje weifelend naar zijn friet kijkt. Dan loopt hij naar zijn vader die net een sigaret opsteekt. 'Wil je soms wat van mij, pap?' vraagt hij.

'Nee, ik hoef niet,' is het norse antwoord. 'En schieten jullie alsjeblieft op, want ik wil verder.'

Marnix voelt zich kwaad worden, maar hij houdt zich in. Als het zo de hele vakantie moet gaan... Gelukkig lijkt Max zich weinig van paps humeur aan te trekken. Hij is naast Myrthe op de stoeprand gaan zitten en eet genietend van zijn patat.

'We hebben ook nog sinas,' zegt Myrthe als ze haar bakje leeg heeft.

'Dat kunnen jullie in de auto wel opdrinken,' zegt haar vader. Hij trapt zijn sigaret uit en gebaart ongeduldig dat ze in moeten stappen.

Marnix zucht. Het liefst was hij nu terug naar huis gegaan, desnoods liftend, maar hij wil Max en Myrthe niet in de steek laten.

Als ze de snelweg weer oprijden heeft Marnix zijn plannetje klaar. Zodra ze op de camping zijn, zal hij op zoek gaan naar een telefooncel. En als die er niet is, vraagt hij desnoods bij de receptie of hij daar mag opbellen. Hij moet hoe dan ook mam aan de lijn zien te krijgen.

Onopvallend voelt hij even aan zijn kontzak. Hij heeft zijn portemonnee gelukkig bij zich. Als het goed is moet er nog zo'n zes of zeven euro in zitten. Meer dan genoeg dus voor een telefoontje naar huis. Opgelucht laat hij zich wat verder onderuitzakken en kijkt naar het verkeer dat steeds drukker wordt. Op een bord langs de snelweg ziet hij dat ze vlak voor Maastricht zitten. Ze volgen dezelfde weg als de afgelopen zomervakantie. Hoe lang is dat eigenlijk geleden? Hij heeft het gevoel dat het een eeuwigheid is, maar als hij het uitrekent is het nog maar net drie maanden terug dat ze vertrokken.

Toen had hij ook voorin gezeten en toen waren ze ook naar het zuiden gereden. Alleen was mam erbij. Voor de verandering was ze achterin gaan zitten bij Myrthe en Max. Met zijn drieën deden ze spelletjes. Myrthe telde de rode auto's, mam de blauwe en Max de groene. Wie na een kwartier de meeste had, die won. Daarna hadden ze malle zinnetjes gemaakt met de letters van autonummers. Pap had de meest idiote invallen, waar ze allemaal vreselijk om hadden moeten lachen.

Toen was hij een stuk vrolijker. Wanneer was daar dan verandering in gekomen? Eigenlijk was het begonnen toen hij weer naar school ging. De zieke collega was nog steeds niet beter en de directeur had gevraagd of pap zijn lessen nog een poosje wilde overnemen. Maar door al die extra lesuren had hij het zo druk dat er geen tijd meer was voor andere dingen. Hij had geen tijd meer om Myrthe naar turnen te brengen en ook niet meer voor hun wekelijkse zwemuurtje. Hij had zelfs geen tijd gehad om mee te gaan naar die belangrijke judowedstrijd. Marnix weet nog hoe hij gehoopt had dat pap toch nog zou komen, maar hij kwam niet. Hij was tweede geworden. Alle andere vaders waren erbij geweest, alleen de zijne niet. En toen hij er later wat van zei, was pap nog kwaad geworden ook.

Als ze in de buurt van Maastricht komen wordt het drukker. Zonder veel te zien staart Marnix naar de lange file die langzaam van stoplicht naar stoplicht kruipt. Het is warm in de auto en het kost moeite om zijn ogen open te houden.

Hij merkt dat hij toch even moet zijn ingedommeld, want hij wordt wakker van een onverwachte slingerbeweging. Tegelijk hoort hij zijn vader binnensmonds vloeken. 'Wat is er?' vraagt hij slaperig.

'Niets,' is het korte antwoord.

Marnix kijkt naar buiten. De huizen hebben plaatsgemaakt voor bossen en velden. 'Waar zijn we eigenlijk?' vraagt hij.

'In België.' De stem van zijn vader klinkt mat.

Marnix wrijft in zijn ogen. Dan moet hij toch langer hebben geslapen dan hij dacht. Heimelijk kijkt hij naar zijn vader. Zijn ogen zijn rood van vermoeidheid. Blijkbaar heeft hij vannacht ook niet erg lang geslapen. 'Je ziet er moe uit, pap,' zegt hij. 'Kunnen we niet beter een camping opzoeken?'

Zijn vader schudt zijn hoofd. 'Nee, hier niet. Nog zo'n anderhalf uur en dan zijn we op de plaats van bestemming.'

Marnix zou graag willen weten waar dat was, maar hij vraagt er maar niet naar. Zijn vader heeft in elk geval een camping in gedachten en dat is een hele opluchting. Hij kijkt op zijn horloge. Bijna kwart over vijf. Mam is inmiddels thuis of ze komt net binnen. Zodra ze op de camping zijn zal hij haar proberen te bellen. Hij hoopt dat pap haar verteld heeft van deze vakantie, maar als dat niet zo is...

Hij stelt zich voor hoe zijn moeder de voordeur opendoet en roept dat ze thuis is. Als ze geen antwoord krijgt, zal ze hooguit een beetje verbaasd zijn, want gewoonlijk is er op dat tijdstip altijd wel iemand. Maar ze zal zich niet ongerust maken. Pas tegen etenstijd zal ze zich gaan afvragen waar iedereen blijft. Als eerste gaat ze waarschijnlijk bij de buren langs om te vragen of die iets weten. Daarna zal ze misschien naar school bellen, als daar nog iemand is tenminste... En naar de school van pap zal ze ook wel bellen en dan komt meteen uit dat hij niet ziek is. Waarschijnlijk wordt ze dan pas echt ongerust. Zou ze gelijk naar de politie gaan, of...

Marnix gaapt. Opeens valt het hem op hoe stil het is op de achterbank. Anders maken Max en Myrthe nog wel eens ruzie, maar hij heeft ze al een tijdje niet meer gehoord. Als hij omkijkt, ziet hij dat ze in slaap zijn gevallen. Hij gaat weer rechtzitten. De zon staat nu zo laag dat hij door het zijraam naar binnen schijnt. Hij sluit zijn ogen tegen het felle licht, maar het blijft als een rode gloed achter zijn oogleden zichtbaar. Hij merkt hoe zijn gedachten door elkaar beginnen te lopen. Nog een poosje doet hij zijn best om wakker te blijven, dan geeft hij het op.

3. In het wild

Met een schok wordt Marnix wakker. Het duurt even voordat het tot hem doordringt dat hij in de auto zit. Dan weet hij alles weer. Meteen gaat hij rechtop zitten.

'Zijn we er bijna?' klinkt het slaperige stemmetje van Max op de achterbank.

'Hmm,' bromt zijn vader alleen.

Marnix kijkt naar buiten. Ze rijden over een hobbelig bospad dat tussen dicht opeen groeiende sparren door loopt. Het is er schemerig. Hij tuurt op zijn horloge. Vijf voor half zeven. Heeft hij zo lang geslapen? Opeens duikt het linker voorwiel in een diepe modderige geul en er klinkt een schurend geluid onder de auto. Pap schakelt terug. De wielen slippen even door, dan krijgen de banden weer grip. De auto schudt van links naar rechts, maar een ogenblik later zijn ze weer op vaste grond en rijden ze verder.

'Als dit de weg naar de camping is, dan mogen ze die wel eens opknappen,' zegt Marnix.

'We gaan niet naar een camping,' antwoordt zijn vader.

'Hè? We zouden toch gaan kamperen?' vraagt Max.

'Ja, dat gaan we ook.' Marnix hoort hoe zijn vader even gas terugneemt. Dan slaat hij linksaf een ander bospad in. 'Ik zoek alleen een geschikt plekje.'

'Hier in het bos?' vraagt Max.

'Ja, ik kon nergens een camping vinden en ik ben erg moe aan het worden. Daarom gaan we maar in het wild staan. Net als toen in Zweden. Weet je nog?'

'Leuk!' roept Max.

Dan pas dringt het tot Marnix door: ze gaan dus niet naar een camping. De teleurstelling is zo groot dat hij moeite heeft om zijn tranen in te houden. Hoe moet hij mam nu bellen?

Myrthe buigt zich naar voren. 'Maken we dan net als in Zweden een kampvuur, pap?'

'Nee, dat mag hier niet,' antwoordt hij een beetje kortaf.

'Waarom niet?' vraagt ze teleurgesteld.

Pap zucht hoorbaar. 'Daarom niet. Ik denk dat ze bang zijn voor bosbrand. En ten tweede mag je hier eigenlijk niet in het wild kamperen en een kampvuur kan ons verraden.'

'Dan maken we toch een klein vuurtje?' zegt Max.

Pap schudt zijn hoofd. 'Als de mensen de rook ervan zien, denken ze dat er bosbrand is en waarschuwen ze de brandweer en dan...'

'Dan komen ze met een brandweerwagen,' roept Max enthousiast, 'en dan gaan ze het vuur blussen en...'

'En dan is het kampvuur uit,' onderbreekt Marnix hem. 'En dan worden we weggestuurd.' En dan móéten we wel naar een camping, maar dat laatste zegt hij niet hardop.

'Ik denk eerder dat we een fikse bekeuring krijgen,' bromt zijn vader. Hij slaat weer een ander pad in. Na een paar honderd meter komen ze opeens bij een open plek. In het midden ervan staat een breeduit groeiende boom. Pap trapt op de rem. 'Hier gaan we de tent opzetten,' zegt hij resoluut.

'Hier?' vraagt Myrthe teleurgesteld. 'Ik dacht dat we net als in Zweden bij een meer zouden gaan staan.'

'Er is hier geen meer,' zegt haar vader opeens weer nors.

'Dus dan kunnen we morgen niet eens zwemmen?'

'Nee.'

'Voor zwemmen is het nu toch te koud,' zegt Marnix. 'Het is al half oktober.' Zonder dat pap het ziet gebaart hij zijn zusje te zwijgen.

Myrthe doet of ze het niet ziet. 'En hoe moet ik me dan wassen?'.

'Je bent gisteravond nog in bad geweest,' zegt Max.

'Nou en?' snauwt ze. 'Door die lange autorit plak ik helemaal.'

'Wat geeft dat nou, een beetje zweet?'

'Ja, jou kan dat niet schelen; jij bent gewoon een viespeuk.'

Terwijl Max en Myrthe verder kibbelen, gaan Marnix' gedachten terug naar hun vakantie van vorig jaar in Zweden. De camping waar ze naartoe wilden was vol en toen kwam pap op het idee om dan maar in het wild te kamperen. Ze hadden hun caravan neergezet aan de rand van een groot meer te midden van de bossen. Ze hadden er gezwommen en daarna had pap een kampvuur gemaakt, waar ze worstjes boven hadden geroosterd. Tot heel laat hadden ze er omheen gezeten. Wat was het toen gezellig geweest. Maar nu...

Opeens draait pap aan het stuur en rijdt het veld op. De auto hobbelt over de ongelijke grond en komt tot stilstand aan de bosrand, half onder een paar grote sparrenbomen.

Max is de eerste die uitstapt. Zijn voeten hoog optillend loopt hij door het lange gras. 'Waar zetten we de tent op, pap?' roept hij.

Zijn vader wijst. 'Daar, onder die boom.'

Myrthe stapt ook uit. 'Eerst kijken of het er wel vlak is,' zegt ze.

Terwijl zijn zusje de plek inspecteert en pap de tent uit de achterbak haalt, verkent Marnix de rest van het veldje. Aan de andere kant van het pad ligt een grote houtstapel. Op de nog verse zaagkant zijn in rood cijfers en letters geschreven. Blijkbaar ligt het hout klaar om te worden opgehaald. Dus misschien worden ze morgen toch nog weggestuurd door een stelletje houthakkers...

'Zeg, kom je nog helpen met het opzetten van de tent?' roept Myrthe. 'Straks is het donker.'

Marnix draait zich om. 'Ja, ik kom er al aan,' zegt hij.

Myrthe heeft de binnentent en de stokken al uit de zak gehaald. 'Weet jij nog hoe het moet?' vraagt ze. 'Papa doet niks, die staat alleen maar te roken.'

'Pap is moe,' zegt Marnix. 'Laat hem maar even.' Hij kijkt naar zijn vader die net weer een nieuwe sigaret opsteekt. Het vlammetje van zijn aansteker verlicht even zijn gezicht, dan is hij alleen nog een donkere gestalte tegen een nog donkerder achtergrond. 'We zetten de tent samen wel op,' zegt hij verzoenend. 'Als jij de binnentent alvast op zijn plaats legt, dan zet ik de stokken in elkaar.'

Myrthe lijkt ook te begrijpen dat ze pap nu even met rust moet laten, want ze doet zonder protest wat hij vraagt. Samen zetten ze de tent op. Marnix weet nog precies hoe het moet. Hij heeft zijn vader er vaak genoeg mee geholpen. Jarenlang zijn ze met deze tent op vakantie geweest, maar drie jaar geleden hebben ze een caravan gekocht. Nu ruikt de tent muf. Al die tijd heeft hij ongebruikt op zolder gelegen.

Als ze de buitentent eroverheen leggen, komt Max aangehuppeld. 'Mag ik er ook een paar haringen in slaan?' vraagt hij.

Marnix knikt. Hij is allang blij dat zijn broertje het naar zijn zin heeft en zich niet veel van paps humeur lijkt aan te trekken. Losjes prikt hij de haringen in de grond zodat Max ze er verder in kan slaan. Daarna brengt hij de slaapzakken en luchtbedden de tent in. Even staat hij weifelend stil. Zal hij bij Myrthe en Max gaan slapen? Toen ze nog klein waren pasten ze makkelijk met zijn drieën in het linker slaapgedeelte, nu is het wat krap, maar hij heeft weinig zin om naast pap te liggen nu hij zo chagrijnig is. Hij kijkt steels naar zijn vader die net weer een trek neemt van zijn sigaret. In de schemering die onder de bomen heerst, gloeit het uiteinde even oranje op.

Samen met Myrthe blaast hij de luchtbedden op. Hij wordt er duizelig van, maar hij wil pap nu niet storen. Opeens hoort hij een zacht geknor. 'Was dat jouw maag?' grinnikt hij.

Myrthe knikt. 'Ik rammel van de honger,' zegt ze.

Marnix kruipt naar de uitgang en steekt zijn hoofd naar buiten. 'Wanneer gaan we eigenlijk eten, pap?' roept hij.

Zijn vader draait zich om en kijkt verbaasd naar de tent. 'Dat hebben jullie snel gedaan,' zegt hij tevreden.

'Ja, en nu barsten we van de honger,' zegt Max.

Marnix ziet zijn vader zowaar even lachen. 'Zal ik de doos met eten uit de auto halen, pap?' vraagt hij.

'Dat doe ik wel,' antwoordt zijn vader. 'Trouwens, we mogen wel opschieten, anders is het straks zo donker dat we onze mond niet eens meer kunnen vinden.'

'We hebben toch een campinglamp,' zegt Myrthe.

Pap reageert verschrikt. 'Ik ben bang dat ik die vergeten heb. Hij ligt in de caravan en die staat in de stalling.' Opeens klaart zijn gezicht op. 'Maar ik heb ergens in de achterbak nog een autolamp liggen.'

'Ik loop wel met je mee,' zegt Marnix.

Onder de bomen is het al zo donker dat het nog een heel gezoek is om de lamp te vinden. Maar dan is er opeens licht.

'Als jij de doos met eten draagt, dan neem ik de rest wel mee.' Marnix' vader trekt drie grote tassen naar zich toe.

'Wat zit daarin?' vraagt Marnix.

'Kleding, schoenen, van alles en nog wat,' antwoordt zijn vader.

Marnix legt de lamp boven op het eten en tilt de doos uit de achterbak. Hij is lichter dan verwacht. Als daar het eten voor vier personen in moet zitten... Hij hoopt dat pap lekkere dingen heeft meegenomen. Dat kunnen ze wel gebruiken na die vervelende rit hierheen.

Met een klap sluit zijn vader de achterklep.

'Heb je de stoeltjes en de kampeertafel niet meegenomen?' vraagt Marnix als ze al onderweg zijn naar de tent.

'Een echte kampeerder heeft geen stoel nodig,' bromt zijn vader, 'die zit op de grond.'

Marnix zegt maar niets.

'Gaan we buiten eten?' vraagt Max als ze bij de tent aankomen.

'Nee, daar is het nu te koud voor.' Pap verdwijnt met de tassen naar binnen.

'Wat zit er allemaal in de doos?' vraagt Max.

'Eten,' antwoordt Marnix.

'Ja, dat weet ik ook wel, maar wat?'

'Dat zien we zo wel.' Marnix gaat de tent in, zet de doos op de grond en hangt de lamp aan een van de haken die aan de nokstok zitten. 'Zo nu kunnen we wat zien,' zegt hij.

'Het is best gezellig zo,' zegt Max. 'Nu de tafel en de stoeltjes nog.'

'Die hebben we niet bij ons.'

'Hè?' roept Myrthe.

'Wij zijn stoere kampeerders en die zitten op de grond,' praat Marnix zijn vader na.

'Hmm,' bromt zijn zusje alleen.

Max heeft intussen een groot blik uit de doos gepakt en tuurt naar het opschrift. 'Wit... witte...' spelt hij.

'Laat mij maar even,' zegt Myrthe. Ze pakt het blik uit zijn handen. 'Witte bonen in tomatensaus,' leest ze hardop. 'Moeten we dat eten?'

'Je moet niets,' zegt pap opeens nijdig. 'Als je het niet lust dan eet je maar niet.'

Myrthe zegt niets meer en gaat beledigd op de grond zitten.

Marnix kijkt wat er verder in de doos zit. Er staan nog twee andere blikken in; een met knakworst en een met ananas. Ook is er een krop sla en een pak vruchtenyoghurt. Als dat hun eten voor vanavond is... Het brood, het potje jam en de plakken kaas die in plastic zijn verpakt, zijn kennelijk als ontbijt bedoeld. Maar aan drinken heeft pap niet gedacht. Er is alleen nog een halfvolle fles cola; geen melk, geen sap, geen water om thee te zetten... niets... 'Zal ik de blikken openmaken, pap?' vraagt hij zo opgewekt mogelijk.

Zijn vader knikt.

'Waar is de blikopener?'

Pap fronst even, dan haalt hij zijn Zwitserse zakmes te voorschijn. 'Gebruik die hierin zit maar,' zegt hij.

Marnix pakt het mes verbaasd aan. Pap heeft het van zijn vader gekregen en is er altijd vreselijk zuinig op. Anders mag niemand het gebruiken. En nu opeens wel?

Even later heeft hij het blik met bonen open. 'Waar heb je de pannen, pap?' vraagt hij.

Het blijft even stil. 'O, jee...' mompelt zijn vader dan.

'Die heb je toch niet vergeten?'

'Ik ben bang van wel.'

'Dan zit er niet veel anders op dan dat we die bonen in het blik opwarmen en die knakworst ook.'

'Lekker, knakworst,' zegt Max.

'Gatver,' moppert Myrthe zachtjes.

'Je moet alleen het papier eraf halen,' praat Marnix er gauw overheen, 'en dan kun je zo'n blik gewoon op het gasstel zetten.'

'Gasstel?' Zijn vader kijkt hem wat verwezen aan.

'Je wilt toch niet zeggen dat je dat óók hebt vergeten?'

Zijn vader kan alleen maar knikken.

'Dat meen je niet!' roept Marnix uit. 'Dus dan kunnen we het eten niet eens opwarmen?'

'Jawel hoor!' Max springt enthousiast overeind. 'Op een kampvuur.'

'Daar hebben we het al over gehad!' bromt pap. 'Dat kan hier niet.'

'Kunnen we niet naar een restaurant gaan?' stelt

Myrthe voor.

Pap schudt geïrriteerd zijn hoofd. 'Je denkt toch niet dat ik van plan ben om die hele weg door het bos terug te rijden en dan ook nog eens in het stikdonker?'

Myrthe haalt haar schouders op. 'Ik vind bonen anders niet om te eten en koud al helemaal niet,' moppert ze.

'Je gedraagt je als een verwend kind,' valt pap opeens woedend tegen haar uit. 'Zo ben je net je moeder.'

Het is even helemaal stil.

Marnix ziet hoe zijn zusje op het punt staat om in tranen uit te barsten. 'We eten het zo wel op, pap,' probeert hij zijn vader te sussen. 'Als je even zegt waar ik de borden kan vinden...' Aan het gezicht van zijn vader ziet hij dat ze ook dát niet bij zich hebben. 'Wat hebben we eigenlijk wel bij ons!' roept hij opeens nijdig.

Zijn vader buigt zijn hoofd en zegt niets meer.

'Waarom moesten we ook zo halsoverkop weg?' gaat Marnix verder. 'We hadden toch veel beter morgen kunnen vertrekken? Dan hadden we je kunnen helpen met inpakken en dan hadden we mam nog gedag...' Midden in de zin houdt hij op. 'Of is het vanwege die ruzie van gisteravond dat we vandaag zijn vertrokken?'

'Hoe kom je daar nu bij?' protesteert zijn vader. 'Ik wilde de drukte voor zijn. Morgen wordt er een uittocht verwacht van mensen die er een weekje tussenuit gaan.'

Het klinkt allemaal heel logisch en toch is er iets

aan paps houding dat Marnix niet lekker zit. 'Weet mam eigenlijk wel van deze vakantie?' waagt hij het opnieuw te vragen.

'Natuurlijk wel. Je moeder weet dat ik in de herfstvakantie weg wilde. Een paar dagen geleden hadden we het er nog over, maar ze kon geen vrij krijgen. Daarbij komt dat ze er ook niet zo'n zin in had.'

Marnix bijt op zijn lip. 'In haar plaats zou ik er ook geen zin meer in hebben,' zegt hij opeens heftig. 'Ik heb je laatst nog tegen mam horen zeggen dat het zonder haar misschien wel zo gezellig zou zijn.'

In de stilte die op zijn woorden volgt, vraagt Max opeens met een bedremmeld stemmetje: 'Gaan jullie nu scheiden, pap?'

Verschrikt kijkt zijn vader op. 'Nee, hoe kom je daar nu bij?'

'Nou, dat lijkt me niet zo moeilijk,' zegt Marnix sarcastisch. 'De laatste tijd hebben jullie aldoor ruzie.'

Het duurt een hele tijd voordat zijn vader antwoord geeft. 'Je hebt eigenlijk wel gelijk,' zegt hij ten slotte. 'De afgelopen tijd was het niet echt gezellig thuis, maar we blijven gewoon bij elkaar, hoor. Tenminste, als het aan mij ligt. Ik ben in elk geval niet van plan om van mama te scheiden. Daarvoor hou ik veel te veel van haar.'

'Daar merken we dan anders niet veel van,' mompelt Myrthe.

Pap zucht. 'Ik weet het.' Zijn hand verdwijnt zoekend in de zak van zijn jasje - op zoek naar een sigaret, weet Marnix - maar hij bedenkt zich. 'Ik weet het,' herhaalt hij. 'Ik ben de laatste tijd niet te genieten. En niet alleen thuis... Ik merk het ook aan mijn leerlingen.'

'Mama zegt dat je veel te hard werkt,' zegt Max eigenwijs.

Er trekt een flauw lachje over paps gezicht. 'Ik denk dat ze gelijk heeft, maar het is maar tijdelijk. Als Jaap, mijn collega, weer beter is, krijg ik het een stuk rustiger. Bovendien kan ik de kinderen nu niet in de steek laten. Over een halfjaar hebben ze eindexamen en dan...'

'Ben je net zo overspannen als die collega van je,' herhaalt Marnix de woorden van zijn moeder.

Zijn vader knikt nadenkend. 'Misschien moet ik na deze vakantie toch nog eens met de directeur gaan praten,' zegt hij. 'Er moet toch op de een of andere manier een vervanger gevonden kunnen worden.'

'Ja, en dan wordt het weer gezellig,' zegt Max, 'en dan moeten mama en jij ook geen ruzie meer maken.'

Pap knikt. 'Dat beloof ik,' zegt hij. 'En ik zal ook niet meer zo vervelend tegen jullie doen. We moeten er maar een fijne week van maken.'

Marnix knikt, maar hij heeft er niet veel vertrouwen in.

'Ik mis mama wel,' zegt Myrthe opeens.

'Ik ook,' zegt Max.

Even ziet Marnix weer iets van irritatie in paps ogen, maar meteen is het ook weer weg.

'Ik zal mama morgenochtend wel bellen,' zegt hij. 'Misschien wil ze toch wel met ons mee op vakantie.'

'Ja, ja,' roepen Myrthe en Max tegelijk.

'Hoe kan dat nou?' vraagt Marnix. 'Ze kon toch

geen vrij krijgen?'

Zijn vader aarzelt even. 'Misschien is er iemand die haar werk over kan nemen zodat ze toch weg kan.'

'Maar hoe komt mama dan hier?' vraagt Myrthe.

'We kunnen haar toch met de auto ophalen?' zegt pap. 'In een dag zijn we op en neer en dan kunnen we gelijk alle spullen meenemen die ik vergeten heb.'

'En gaan we dan daarna naar een camping?' vraagt Max.

'Met een zwembad!' roept Myrthe.

'We zien wel,' zegt pap.

Marnix weet genoeg. Zijn vader is helemaal niet van plan om mam te bellen. En als hij dat wel doet, dan weet Marnix bijna zeker dat ze niet komt. Hij geeft haar geen ongelijk.

Max en Myrthe lijken niet te twijfelen aan paps woorden. Ze zijn zo blij dat ze naar een camping gaan dat ze zonder morren aan de koude bonen met knakworstjes beginnen.

4. Nachtelijk bezoek

Een kwartier later liggen ze in bed. Pap zei dat hij nog even een sigaret ging roken en dat hij daarna ook zou gaan slapen, maar Marnix wil wakker blijven tot hij komt. Terwijl Myrthe en Max wat giechelig liggen te fluisteren, luistert Marnix of hij het geluid van paps voetstappen al hoort. Maar behalve het geruis van de wind in de bomen blijft het buiten stil. Hij heeft het koud. Daarom kruipt hij nog wat dieper in zijn slaapzak en trekt de bovenkant nog wat verder over zijn oren.

Langzaam begint hij warm te worden. Hij gaapt. Waar blijft pap? Hij heeft weliswaar een jas aangetrokken, maar dan nog... De temperatuur is behoorlijk gedaald sinds ze hier zijn aangekomen. Toen ze zaten te praten tijdens het eten kwam hun adem als kleine stoomwolkjes uit hun mond.

Naast hem is het stil geworden. Myrthe en Max zijn waarschijnlijk in slaap gevallen. Zelf is hij ook moe. Hij gaapt opnieuw. Om wakker te blijven gaat hij op zijn rug liggen. Zijn gedachten dwalen af naar morgen. Pap wil hier waarschijnlijk eerst nog ontbijten en daarna zullen ze wel naar een camping gaan. Daar kan hij mam tenminste bellen en dan hoort hij vanzelf wat er aan de hand is...

Hij wordt wakker van een gedempt geluid gevolgd door een onderdrukt gegiechel. 'Wawastat?' fluistert hij slaperig.

'Een scheet.' Max proest zacht. 'Myrthe liet er net ook een. Ruik je het niet?'

Marnix steekt zijn neus buiten zijn slaapzak en snuffelt. 'Ik ruik niks,' zegt hij.

'Wacht maar,' giechelt Max, 'ik doe de rits van mijn slaapzak wel open.'

Marnix doet zijn mond al open om te zeggen dat hij het beter kan laten, als de stank zijn neus bereikt. 'Jemig, wat een meur,' bromt hij.

'Mijn buik rommelt als een gek,' klinkt Myrthes stem vanuit het donker.

Opeens begrijpt Marnix het. Hij grinnikt. 'Dat komt van de bonen.'

'O, ik dacht al...' Myrthe kreunt zacht. 'Ik moet geloof ik weer een wind laten,' zegt ze benauwd.

'Als je het maar laat,' moppert Marnix, maar hij had het net zo goed niet kunnen zeggen, want er klinkt een langgerekt *pfffoeiiiwiep*.

Max schatert het uit. 'Dat was een mooie!' roept hij. 'Nou ik!'

Marnix zucht. Gelaten wacht hij op de knal, maar er komt niets.

'Het was een stille,' zegt Max een beetje teleurgesteld. 'Die hoor je niet, maar ze stinken wel het meest.'

'Dat geloof ik graag, maar...' Op dat moment voelt Marnix hoe zijn eigen darmen beginnen te krampen. 'Bij mij beginnen de bonen ook te werken,' ginnegapt hij. Het duurt niet lang of er klinkt een reeks knetterende salvo's door de tent. 'En, hoe klonk dat?' zegt hij triomfantelijk. 'Het leek wel een Chinese duizendklapper.'

Ze proesten het alle drie uit. Plotseling klinkt er een keiharde scheet.

'Was jij dat, Max?' grinnikt Marnix.

'Nee.'

'Ik was het ook niet,' zegt Myrthe.

Vanuit het slaapgedeelte van pap komt opeens een ingehouden lachje. 'Dat was ik,' zegt hij. 'Ik wist niet dat we van witte bonen ook... eh... broekhoest zouden krijgen.' Hij grinnikt.

'Dat krijg je van alle bonen,' zegt Marnix. 'Het stinkt hier nu al als een beerput. Houd je neus dus maar dicht.'

'Ik doe de rits van de buitentent wel even open, dan is de lucht zo weg,' zegt zijn vader.

Marnix hoort hoe hij uit zijn slaapzak kruipt. Even later is er het geluid van een rits meteen gevolgd door weer een knallende wind. 'Dat was een goeie, hè?' grinnikt pap. 'Zo hard kunnen jullie het niet.'

'Puh,' zegt Myrthe. 'Die van ons klinken veel mooier.'

Vanaf dat moment laten ze zich helemaal gaan. Het knettert en het knalt dat het een lieve lust is. Ze proberen elkaar te overtroeven: wie de hardste wind kan laten en wie de langste, wie de meest welluidende en wie de hoogste en de laagste in toon kan produceren.

Het moet al heel laat zijn als er een eind komt aan de pret. Ook al persen ze nog zo hard, de winden zijn op. Max is de eerste die in slaap valt.

'Laten wij ook maar gaan slapen,' zegt pap door het tentdoek heen.

Het duurt niet lang of Marnix hoort hem zachtjes snurken. Hij staart in het donker voor zich uit. Pap leek weer even helemaal de oude. Misschien doet deze vakantie zo zonder mam hem wel goed. Als ze straks aan het eind van de week thuiskomen...

Plotseling meent Marnix iets door het gras te horen scharrelen, alsof er iemand om de tent heen sluipt. Hij luistert met ingehouden adem. Dan hoort hij een zacht gesnuif. Zouden hier wilde zwijnen zitten? Maar die heeft hij wel eens gehoord, die maken een meer knorrend geluid. Het zal wel een ree zijn, of een vos die wil weten wat dat rare ding hier op zijn grondgebied doet. Opnieuw klinkt er gesnuif, nu aan de andere kant van de tent.

De doos met eten! flitst het opeens door hem heen. In een van de blikken zit nog een restje bonen en in het andere nog twee knakworstjes. Het beest komt waarschijnlijk op de geur af. Ze hadden de doos natuurlijk in de auto moeten zetten.

Ineens schiet hem te binnen dat pap vanwege de

stank de rits van de buitentent heeft opengedaan. De tent is dus niet dicht! Als het beest nu maar niet de tent binnenkomt... Met een bonzend hart en wijd open ogen tuurt Marnix het duister in. Had hij de autolamp nu maar hier.

Plotseling heeft hij een idee. Hij pakt een plooi van het tentdoek en schudt er stevig aan. 'Ksssjt,' sist hij.

Er klinkt een verschrikt geluidje meteen gevolgd door een zich verwijderend geritsel. In het andere slaapgedeelte draait zijn vader zich om in zijn slaap en mompelt iets onverstaanbaars.

Marnix zucht opgelucht. Het beest zal nu wel niet meer terugkomen. Opeens gaapt hij zo hartgrondig dat zijn kaken ervan kraken. Dan pas voelt hij hoe moe hij is. Nog even luistert hij of hij iets hoort, maar behalve de wind in de bomen, blijft alles stil. Eindelijk kan hij zich aan de slaap overgeven.

Het is al licht als Marnix wakker wordt. Hij moet plassen. Max en Myrthe slapen nog diep. Voorzichtig, om ze niet wakker te maken, kruipt Marnix uit zijn slaapzak. Terwijl hij de voortent ingaat, gluurt hij even in het slaapgedeelte van zijn vader en ziet dat hij niet in zijn slaapzak ligt. Waar zou hij zijn? Even is hij ongerust, dan ziet hij dat de rits van de buitentent openstaat. Dat is het natuurlijk: pap moest ook plassen.

Hij stapt de tent uit. Het gras aan zijn blote voeten is nat van de dauw en boven de open plek hangen nevelslierten. Hij rilt. Haastig gaat hij weer naar binnen en kleedt zich aan.

Als hij weer naar buiten komt, is pap er nog steeds niet. Waar blijft hij? De auto staat er nog, dus ver weg kan hij niet zijn. Achter zich klinkt plotseling het geluid van een brekende tak. Met een ruk draait hij zich om. Vanuit de bosrand komt zijn vader aangelopen. Hij ritst net zijn gulp dicht.

'Lekker gepoept?' grapt Marnix.

'Ja, die bonen hebben hun werk goed gedaan.'

Marnix lacht. 'Zal ik Max en Myrthe wakker maken?'

Zijn vader schudt zijn hoofd. 'Laat ze nog maar even slapen.'

'Zal ik dan alvast wat boterhammen klaarmaken?'

'Dat kan je doen, maar ik wilde eigenlijk verse broodjes gaan halen. Dat hebben jullie wel verdiend na gisteren.'

'Lekker,' zegt Marnix. Hij is blij dat zijn vader een beter humeur heeft.

'En dan ga ik gelijk even pinnen, want ik zag net dat ik niet zoveel geld meer bij me heb.' Hij draait zich om en loopt naar de auto. 'Ik ben over een klein uurtje terug,' zegt hij over zijn schouder.

Marnix haast zich achter hem aan. 'Maar we zouden mam bellen en...'

'Ja, dat was ik heus niet vergeten. Ik zal zeggen dat het me spijt van die ruzie en ik zal vragen of ze...'

'Maar ik wil mee,' onderbreekt Marnix hem.

'En Max en Myrthe dan?'

'Die kunnen toch ook mee?'

Even knipperen de lichten van de auto ten teken

dat pap de deuren van het slot heeft gehaald. 'Nee,' zegt hij beslist, 'ze moeten zich nog aankleden en dat duurt me veel te lang. Bovendien wil ik even rustig met je moeder kunnen praten.'

'Ja, maar je kunt ons toch niet alleen hier achterlaten?'

'En toen in Zweden dan? Toen ging ik ook...'

'Toen bleef mam bij ons.'

Pap zucht. 'Toe nou, een uurtje kan ik toch wel weg? Er komt hier niemand. Of ben je soms bang?'

Marnix schudt narrig zijn hoofd.

'Nou dan.' Zijn vader opent het portier en stapt in.

Marnix knijpt zijn lippen op elkaar. Uit het feit dat pap hen er niet bij wil hebben, blijkt wel dat hij iets te verbergen heeft. Hij wil even rustig met mam kunnen praten... Ruziemaken zal hij bedoelen...

'Tot straks,' zegt pap, dan slaat hij het portier dicht en start de auto.

Machteloos kijkt Marnix toe hoe zijn vader achteruitrijdt totdat de auto op het pad staat. Opeens gaat het raampje open. 'Niet bij de tent weggaan, hoor,' zegt hij.

Marnix schudt alleen zijn hoofd.

'Ik zal wat lekkers voor jullie meenemen,' zegt pap nog verzoenend.

Alsof dat iets goed kan maken, denkt Marnix schamper. Hij kijkt de auto na.

'Waar gaat papa heen?' hoort hij opeens achter zich. Het is Max.

'Brood halen en mama bellen,' antwoordt hij.

‘Maar ik had mee gewild.’

‘Pap wilde jullie nog even laten slapen.’

‘En laat hij ons dan zomaar hier alleen in het bos achter?’ In Max’ stem klinkt iets van angst door.

‘Ik ben er toch?’

‘Jawel...’

‘Pap is over een uurtje terug,’ stelt Marnix zijn broertje gerust. ‘Ga nog maar even lekker slapen.’

‘Ik heb geen slaap meer. Ik ga me aankleden.’ Met boze stappen loopt Max terug naar de tent.

Een halfuur later besluit Marnix om Myrthe ook maar wakker te maken. Hij wil de tent op orde hebben, zodat ze hem alleen nog maar hoeven af te breken als pap terugkomt.

Als ze klaar zijn, gaan ze op de onderste stam zitten van de houtstapel aan de andere kant van het pad. De zon die nog maar net boven de bomen is uitgeklommen, schijnt er precies op. Langzaam worden de laatste ochtendnevels verdreven en met de minuut wordt het warmer.

Marnix sluit zijn ogen. Zo, met de zon op zijn gezicht en de geur van versgezaagd hout en vochtig gras in zijn neus, kan hij het wel even uithouden. Maar opeens komt de onrust van daarnet weer terug. Zou pap mam al hebben gebeld? Of zei hij dat zomaar. Wil hij niet dat ze weet waar ze zijn? Marnix zucht.

‘Waar blijft papa eigenlijk?’ hoort hij Myrthe opeens vragen.

Hij kijkt op zijn horloge. Kwart over tien. ‘Hij zal

zo wel komen,' zegt hij.

'Ik begin trek te krijgen,' zegt ze.

'Ik ook,' zegt Max.

Ze luisteren of de auto er al aan komt, maar alleen het geruis van de wind door de boomtoppen is te horen. Zelfs de vogels zwijgen. Opeens klinkt er achter hen een harde knap als van een tak die onder iemands schoen doormidden breekt.

'Wa's dat?' fluistert Max geschrokken.

'Dat is het hout dat uitzet,' zegt Marnix. 'Dat komt door de zon. Die verwarmt de boomstammen waar we tegenaan zitten en...'

'Je lijkt de meester wel,' zegt Myrthe humeurig.

Marnix reageert er maar niet op. Ze voelt zich waarschijnlijk net zo gespannen als hijzelf.

Terwijl ze ongeduldig op pap wachten klimt de zon steeds hoger. Tegelijk wordt het warmer.

'Ik heb dorst,' zegt Max opeens.

'Ik ook.' Myrthes stem klinkt klagerig.

'In de doos zit nog een halve fles cola,' zegt Marnix zonder zijn ogen open te doen.

Max staat op. 'Ik haal hem wel even.'

Myrthe springt overeind. 'En dan zeker alles in je eentje opdrinken!' roept ze.

Samen rennen ze om het hardst naar de tent. Myrthe is er het eerst. Ze duikt zo snel naar binnen dat de hele tent ervan staat te sidderen. Een ogenblik later verstoren hun ruziënde stemmen de vredige stilte van het bos.

Opeens klinkt er een gil. Marnix vliegt overeind. Wat zou er zijn? Als hij bij de tent aankomt, sleept Myrthe net de doos met eten naar buiten. 'Waarom gilde je zo?' vraagt hij nijdig.

'Mieren!' roept ze.

'Waar?'

'Hier in de doos. Ze zitten overal.'

Marnix ziet het meteen. De drie blikken zijn overdekt met de zwarte wriemelende beestjes. Ze zitten op de twee knakworstjes die nog over zijn, op het restje bonen en ook in het lege ananasblik.

'Ze lusten ook cola,' zegt Max. Hij houdt Marnix de fles voor. Rond de dop krioelt het van de mieren.

Marnix pakt de fles en veegt hem een paar maal door het gras. 'Zo, die zijn weg.' Hij schroeft de dop eraf en neemt een slok.

'Gatver,' griezelt Mythe, 'dat je nog uit die fles wil drinken. Precies daar zaten die mieren met hun vieze pootjes. Misschien hebben ze er zelfs wel op gepoept.'

'Of gepiest,' giechelt Max.

Marnix haalt zijn schouders op en neemt nog een paar slokken.

'Laat je nog wat voor ons over,' zegt Myrthe.

'Ik dacht dat je niet uit deze fles wilde drinken?' plaagt Marnix.

'Ik moet wel, want pap is de bekers vergeten,' zegt Myrthe zuur. Ze steekt haar hand al naar de fles uit, maar Max is haar voor. Hij zet hem meteen aan zijn mond. 'Mmm, cola met mierenpies,' zegt hij zijn lippen aflikkend.

Terwijl Myrthe de rest van de cola opdrinkt, onderzoekt Marnix het andere eten in de doos. Op de slakrop ziet hij geen mieren en ook niet op de zak met appels, de jam en de vruchtenyoghurt, maar als hij het brood bekijkt, ziet hij dat er mieren in de plastic zak rondlopen. 'Hoe kan dat nou?' Hij bekijkt de zak van alle kanten. Dan ziet hij het gat. Het zit niet alleen in het plastic, maar ook in het brood. 'Muizen!' roept hij.

Myrthe springt achteruit. 'Waar?' gilt ze.

'Nergens, maar vannacht hebben ze wel van het brood gegeten.' Marnix kijkt opnieuw in de doos. 'En van de kaas ook.' Hij houdt een kapot plastic zakje omhoog waar nog een paar aangevreten plakjes kaas in zitten.

'Zijn die muizen vannacht in de tent geweest?' Myrthe rilt.

'Dat moet wel,' zegt Marnix. 'Ik heb vannacht tenminste iets horen rondscharrelen.'

'Jasses.' Myrthe rilt opnieuw. 'Ik ben blij dat we straks naar een camping gaan, want ik ben niet van plan om hier nóg een nacht te blijven.'

5. Spoorzoekertje

Terwijl Myrthe de aangevreten spullen aan de andere kant van het pad in het gras gooit, probeert Marnix de mieren tussen de boterhammen uit te peuteren.

'Gooi dat brood toch weg,' zegt ze als ze terugkomt.

Marnix schudt zijn hoofd. Op een of andere manier heeft hij het gevoel dat ze het nog wel eens nodig kunnen hebben.

'Als je maar niet denkt dat ik er een hap van neem,' gaat ze verder.

'Van mij hoef je niet,' zegt Marnix. Met zijn duim en middelvinger schiet hij een mier weg. 'Maar ik heb trek en ik gun die rotbeestjes dat brood gewoon niet.'

'Pap zou toch vérse broodjes gaan halen?' zegt Myrthe.

'Volgens mij moeten die nog gebakken worden,' probeert Marnix haar met een grapje af te leiden.

'Je moet niet denken dat je leuk bent,' zegt Myrthe nors. 'Ik ben hartstikke ongerust. Hij zou maar een uurtje weg zijn, maar volgens mij is het al veel langer.'

Marnix kijkt weer op zijn horloge. 'Ja, hij had allang terug kunnen zijn, maar misschien kon hij geen bakker vinden en moest hij op zoek naar een supermarkt. Hij zou trouwens ook nog iets lekkers meenemen, zei hij.'

'Zo lang hoeft dat toch niet te duren?'

'Nee, maar hij moest ook nog geld pinnen en hij zou mam bellen.'

Myrthe knikt alleen maar.

Ze gaan weer op de boomstam zitten. De ochtendmist is nu helemaal verdwenen en het wordt steeds warmer. Ze moeten zelfs hun jack uittrekken. Het wachten duurt lang. Myrthe heeft een paar lange grasprieten geplukt en probeert er een vlecht van te maken en Max zit op zijn knieën met een stokje in een mierennest te peuteren.

'Papa zal toch niet verdwaald zijn?' zegt hij opeens benauwd.

Marnix had daar ook al aan gedacht, maar hij wilde Max en Myrthe niet ongerust maken. 'Dat kan ik me niet voorstellen,' zegt hij. 'Zo groot zal dit bos toch niet zijn?'

'Ik weet het niet,' zegt Myrthe. 'Ik werd pas wakker toen we al tussen de bomen reden en het duurde best lang voordat we hier waren. Bovendien zijn we een paar keer links- en rechtsaf geslagen en als papa het verkeerde pad heeft genomen...'

Bedrukt staren ze alle drie voor zich uit.

Opeens knort Myrthes maag. 'Ik hoop wel dat hij gauw komt,' zegt ze, 'want ik barst langzamerhand van de honger.'

'We hebben nog een zak met appels en een pak vruchtenyoghurt,' zegt Marnix. 'Ik haal het wel.'

Het is een wat vreemd ontbijt en als ze genoeg hebben gehad, zitten ze een poosje besluiteloos voor zich uit te kijken.

'Zullen we een spelletje doen?' stel Marnix voor.

'We hebben geen spelletjes bij ons,' zegt Myrthe.

'We kunnen toch zelf wel iets bedenken?'

'Wat dan?' vraagt ze wat lusteloos.

'Blikkie trappen,' roept Max. Hij loopt naar blikken die ze hebben weggegooid en raapt er een op. Er vallen twee knakworstjes uit. 'De mieren blijven er gewoon op zitten,' zegt hij. Met zijn handen op zijn knieën buigt hij zich eroverheen. 'Onze worst opeten, hè?' zegt hij opeens boos. 'Kunnen jullie wel? Ik had er net zo'n trek in.'

Marnix schiet in de lach. Hij staat op en maakt van een paar takken een goal. 'Als ik nou keeper ben en Myrthe verdediger,' zegt hij, 'dan probeer jij het blik hierin te schoppen.'

Een poosje trappen ze het blik heen en weer, maar algauw verveelt het.

'We kunnen ook landjepik doen,' stelt Myrthe voor. 'Jij hebt dat mes van papa toch nog in je zak?'

Marnix haalt het eruit. 'Ik denk dat we dat maar niet moeten doen. Pap is er altijd zo zuinig op.'

'Laten we ik-zie-ik-zie-wat-jij-niet-ziet doen,' stelt Max voor.

Myrthe trekt een verveeld gezicht. 'Dat vind ik een

stom...' Ze zwijgt abrupt en kijkt strak naar iets achter hen. 'Het is bruin, het heeft flaporen en het eet onze knakworstjes op,' zegt ze plotseling. 'Ra, ra, wat is dat?'

Marnix en Max kijken tegelijk om. In het gras naast het pad staat een grote bruine hond die de laatste knakworst naar binnen schrokt. Hij is mager en houdt hen wantrouwig in de gaten.

'Waar komt die opeens vandaan?' vraagt Marnix.

'Geen idee,' antwoordt Myrthe. 'Hij stond er opeens.'

'Hij heeft de worst natuurlijk geroken,' zegt Max. 'Van wie zou hij zijn?'

'Ik denk van iemand hier uit de buurt,' zegt Marnix.

'Hoe zou hij heten?' vraagt Myrthe.

Ze proberen allerlei namen, maar de hond reageert niet.

'Hij lijkt een beetje op Pluto uit de Donald Duck,' zegt Max. 'Pluto!' roept hij. Aarzelend komt de hond naar hem toe. 'Zal ik hem het restje bonen in tomatensaus geven?'

'Dat eet hij toch niet,' zegt Myrthe. 'Het zit onder de mieren.'

'Die zaten ook op de knakworst en die heeft hij ook opgegeten,' zegt Marnix. 'Als een hond honger heeft maakt hem dat niets uit.'

Intussen heeft Max het blik gepakt. 'Hoe krijg ik die bonen eruit?' vraagt hij.

'Gewoon schudden,' antwoordt Marnix.

'Op de grond zeker?'

'Ja, waar anders.'

Zoekend kijkt Max om zich heen, dan heeft hij iets gevonden. Terwijl hij het blik op een platte steen leeg klopt, likt de hond begerig zijn bek af. In een paar happen schrokt het beest de bonen naar binnen.

'Díé had honger,' zegt Marnix.

Max zit op zijn hurken te kijken hoe de hond de steen schoonlikt. Opeens krijgt hij een lik. Een beetje beduusd veegt hij zijn wang af. 'Zag je dat?' vraagt hij.

Marnix lacht. 'Hij zei dankjewel.'

Max probeert de hond te aaien, maar het beest deinst achteruit. 'Papa zei laatst dat ik misschien een hond mag,' zegt hij. 'Kunnen we deze niet houden?'

Marnix schudt zijn hoofd. 'Hoe kan dat nou? Hij is van iemand. Kijk maar, hij heeft een halsband om.'

'Dan krijgt hij daar vast niet genoeg te eten,' zegt Max vinnig.

De hond heeft zich omgedraaid, snuffelt nog even door het gras en loopt dan in de richting van de tent. Opeens weet Marnix wat hij die nacht gehoord heeft. Plotseling ziet hij hoe de hond zijn poot optilt. Hij springt overeind. 'Hé, ben je nou helemaal!' schreeuwt hij. 'Als dank tegen onze tent pissen? Kan je wel? Weg wezen!' Hij rent naar de hond toe.

Verschrikt maakt het dier dat hij wegkomt en even later verdwijnt hij om de bocht van het pad.

'Nou heb je hem weggejaagd,' zegt Max boos.

'Nou en?' Marnix haalt zijn schouders op. 'Hij

moet toch terug naar zijn baas.'

Max draait zich verongelijkt om en loopt weer terug naar de houtstapel, waar hij in het hoge gras naast Myrthe neerploft.

Marnix besluit een eindje het pad af te lopen, in de richting waarin de auto is verdwenen. Op de plek waar het pad het bos ingaat, blijft hij staan. Vaag zijn de afdrukken van een paar autobanden zichtbaar. Pap is nu al bijna drie uur weg. Waar blijft hij?

Opeens krijgt Marnix een ingeving. Wat als de auto is blijven steken in dat modderige stuk? Misschien is pap al die tijd al bezig om hem los te krijgen. In Zweden hebben ze ook een keer vastgezeten in de modder en toen heeft het wel twee uur geduurd voordat ze de auto eruit hadden. Maar waarom is pap dan niet naar hen toe gekomen om hun hulp te vragen? Marnix probeert te bedenken hoe lang ze er gisteren over gedaan hebben van het modderige stuk tot hier. Tien minuten, een kwartier? Maar lopend is het natuurlijk verder.

Marnix heeft er weinig hoop op dat hij pap er zal aantreffen maar alles is beter dan nietsdoen en afwachten.

Max en Myrthe willen meteen vertrekken.

'Weet jij de weg?' vraagt Myrthe.

'Nee, niet precies,' antwoordt Marnix, 'maar we kunnen de bandensporen van paps auto volgen.'

'Leuk, spoorzoekertje!' roept Max.

Ze sluiten de tent en gaan op pad. De eerste vijf minuten is het niet moeilijk om te zien hoe pap is gereden. De bandensporen van de auto zijn vrij duidelijk zichtbaar in de zachte grond, maar dan komen ze op een kruising, waar de grond hard en rotsachtig is.

'En nu?' vraagt Myrthe. 'Het spoor houdt hier op.'

'Volgens mij zijn we hier op de heenweg van links gekomen,' zegt Marnix.

'Ik dacht van rechts,' zegt Myrthe.

'We gingen hier rechtdoor,' zegt Max. 'Ik weet het zeker.'

Marnix zucht. 'Toch lijkt het me beter om de paden een voor een te onderzoeken op bandensporen,' zegt hij. 'Laten we met het pad links begin...'

'Dat hoeft helemaal niet,' valt Max hem in de rede. 'We nemen gewoon alle drie een ander pad en wie het spoor vindt, die roept heel hard naar de anderen dat ze moeten komen.'

Marnix kijkt zijn broertje verbluft aan. 'Slim bedacht,' zegt hij, 'maar zo kunnen we elkaar wel kwijtraken.'

'Nee, hoor. We spreken gewoon af dat we duizend stappen doen en dan keren we om.'

'Zo ver kan jij niet eens tellen,' zegt Myrthe.

'Welles!'

'Nietes!'

'Hou op,' zegt Marnix. 'Het is een goed plan, maar we gaan niet verder dan vijfhonderd passen. Max kan goed tot honderd tellen en als hij elke keer opnieuw begint, kan hij op zijn vingers bijhouden wanneer hij vijfhonderd stappen heeft gezet.'

'Ik ga rechtuit,' zegt Max vastberaden.

Marnix knikt. 'En ik linksaf.'

'Dan ga ik wel rechts,' zegt Myrthe en zonder verder nog iets te zeggen loopt ze weg.

Marnix is nog niet eens bij tweehonderd als hij zijn broertje hoort roepen. Hij rent terug en tegelijk met Myrthe komt hij bij hem aan.

'Zie je wel,' zegt Max. 'Papa is rechtdoor gegaan. Ik zei het toch?' Hij wijst op een paar vage bandensporen.

'Zijn die wel van papa?' vraagt Myrthe.

'Ja, van wie anders?' Max' stem klinkt opeens onzeker.

'Van de auto van de boswachter, of van een tractor of van...'

'Van een tractor kan niet,' onderbreekt Marnix haar. 'Die hebben heel andere banden.' Hij buigt zich over het spoor. 'Het lijkt toch wel op het spoor van paps auto. Laten we het in elk geval volgen, misschien wordt het verderop duidelijker.'

Het pad daalt en in een bocht krijgen ze zekerheid: twee diepe sporen wijzen erop dat hun auto hierlangs is gekomen. Ze gaan steeds sneller lopen, zo snel dat ze beginnen te hijgen. Ook stijgt het pad weer. Ze passeren een houtstapel, die Marnix meent te herkennen van de heenweg. 'Volgens mij is het nu niet ver meer,' zegt hij.

Na nog een paar bochten en een steile afdaling ziet Marnix het modderige stuk opeens voor hem liggen. Er is geen spoor van pap en ook niet van de auto. De teleurstelling is zo groot dat hij het liefste een potje zou willen janken, maar hij houdt zich in. 'Gelukkig,' zegt hij. 'Pap zit niet in de modder vast.'

'Maar waar is hij dan wel?' vraagt Myrthe.

'Hoe weet ik dat nou?' Marnix hoort dat zijn stem net zo geïrriteerd klinkt als die van zijn vader. 'Hij komt heus wel,' zegt hij wat vriendelijker. 'Pap heeft misschien lang moeten zoeken naar een campingwinkel om de spullen die hij vergeten heeft bij te kopen. En als hij inderdaad verdwaald is dan duurt het gewoon even voordat hij ons teruggevonden heeft. Maak je nou maar niet ongerust. Misschien is hij via de andere kant gekomen en zit hij nu bij de tent op ons te wachten. Misschien is hij nu net zo ongerust als wij.'

Zwijgend lopen ze terug, maar als ze op de open plek aankomen is pap er niet. Ontmoedigd ploffen ze voor de tent neer.

'En wat nu?' vraagt Myrthe.

'Wachten,' antwoordt Marnix. 'Er zit niet veel anders op.' Hij laat zich achterover in het gras zakken. De zon schijnt recht in zijn ogen, daarom sluit hij ze maar. Zijn gedachten zijn somber. Het kan natuurlijk dat pap de weg terug niet meer kan vinden, maar voor hetzelfde geld kan er iets anders gebeurd zijn. In het minst erge geval heeft hij een lekke band of motorpech, maar hij kan ook een ongeluk hebben gehad. Gisteren reed hij zo gespannen. Marnix ziet zijn vader al zwaar gewond in een ambulance liggen. Als hij maar niet... Haastig drukt hij die gedachte weg. Hij sluit zijn ogen en probeert aan iets anders te denken, maar de beelden van een verwrongen hoop ijzer, die eens hun auto was, komen telkens terug.

Het duurt lang voordat hij weer een beetje rustig is. Om niet weer in paniek te raken luistert hij of hij paps auto hoort aankomen. Maar behalve de gewone bosgeluiden en in de verte de eentonige roep van een koekoek, blijft alles stil. Met elke minuut die voorbijgaat, vervliegt Marnix' hoop verder. Al die zorgen putten hem uit.

Als er iets bij zijn rechteroor knispert, is hij te duf om te kijken wat het is. Misschien is het een kever die bezig is zich een weg te banen door het oerwoud van grashalmen, denkt hij slaperig. Langzaam versmelten de geluiden om hem heen tot één grote brij, totdat die ook verstilt.

Met een schok wordt Marnix wakker doordat er iemand aan zijn arm trekt.

'Weet je wel hoe laat het is?' klinkt het als van heel ver.

Slaperig doet hij zijn ogen open. Myrthes silhouet tekent zich donker af tegen de lucht.

'Kwart voor zes,' beantwoordt ze haar eigen vraag. 'En pap is nog steeds niet terug.'

Verschrikt komt Marnix overeind en kijkt naar de plek waar de auto stond, maar die is nog steeds leeg. 'Hoe laat zei je dat het was?'

'Kwart voor zes,' herhaalt Myrthe.

Marnix rilt. Dan pas ziet hij dat de zon achter de bomen is verdwenen. Hij pakt zijn jack en trekt het aan.

'Max en ik hebben ook geslapen,' gaat Myrthe verder. 'Toen ik wakker werd, wist ik even niet waar ik was, maar toen herinnerde ik het me weer. Ik ben zo bang dat er iets gebeurd is met papa.' Er verschijnen tranen in haar ogen.

'Wees maar niet ongerust,' probeert Marnix haar te troosten. 'Pap komt echt wel terug. Misschien heeft hij gewoon een lekke band. Weet je nog toen we naar de Efteling gingen? Toen heeft het bijna drie uur geduurd voordat er een nieuwe band onder de auto zat en we verder konden.'

Myrthe knikt kort. 'Maar papa is nu al veel langer dan drie uur weg.'

Marnix zoekt naar iets dat haar gerust kan stellen. Opeens weet hij het: 'Misschien wil hij ons verrassen en haalt hij mam op. Wedden dat ze opeens voor onze neus staan?'

'Geloof je het zelf?' zegt Myrthe verdrietig en boos tegelijk.

'Ik ben zo bang dat papa een ongeluk heeft gehad,' komt Max ertussen. Zijn onderlip begint te trillen.

'Je moet je geen gekke dingen in je hoofd halen, Max,' probeert Marnix hem te sussen. 'Papa heeft nog nooit een aanrijding veroorzaakt. Hij is gewoon de weg kwijt, hij komt heus wel weer terug.'

'Dat denk ik ook,' valt Myrthe hem bij. 'Alleen is het straks donker en hoe moet hij ons dan vinden?'

'Had ik mijn mobieltje nog maar,' verzucht Marnix.

'Ik zou willen dat we papa konden laten weten waar we zitten,' zegt Myrthe. 'Vuur!' roept ze opeens.

Marnix kijkt haar verrast aan. Dat hij daar zelf niet aan heeft gedacht. 'Hebben we ergens lucifers?' vraagt hij.

'Pap heeft altijd een paar aanstekers bij zich,' zegt Myrthe. 'Misschien zit er een in de zak van een van zijn broeken.'

Ze rennen naar de tent en keren zijn tas om. Ze doorzoeken alle zakken, maar ze vinden geen aansteker en ook geen lucifers. Moedeloos stoppen ze alles weer terug.

'Indianen kunnen vuur maken zonder lucifers,' zegt Max.

'Ik zou niet weten hoe dat moet,' zegt Myrthe.

'Ik wel,' zegt Marnix opeens enthousiast. 'We hebben alleen twee houtjes nodig en een pluk droog gras.' Hij gaat op zoek en komt even later terug met een takje waar de bast vanaf is en een wat dikkere tak met een ondiep holletje erin. Intussen heeft Myrthe een handvol droog gras verzameld.

Met het mes van zijn vader snijdt Marnix het takje een beetje bij en steekt het dan in het holletje van de dikke tak. Het gras legt hij er zorgvuldig omheen. Dan klemt hij het stokje tussen zijn handpalmen en wrijft ze snel tegen elkaar. Het stokje draait driftig linksom en rechtsom.

'Zo krijg je toch geen vuur?' zegt Myrthe.

'Als het goed is wel,' antwoordt Marnix. 'Door de wrijving wordt het hout heet en dan vat het gras vlam.'

Max kijkt gespannen toe. 'Er gebeurt niks,' zegt hij

na een poosje.

Marnix draait het stokje nog sneller rond tot hij er pijn in zijn handen van krijgt. Maar vuur komt er niet. Ten slotte houdt hij maar op. 'Ik draai me rot,' foetert hij. 'Maar dit werkt gewoon niet.'

'Indianen doen het ook heel anders,' zegt Max.

'Hoe dan?' vraagt Marnix nijdig.

'Met een soort boog. Dat heb ik gezien op de televisie.' Max probeert het zo goed mogelijk uit te leggen. 'Het touw moet dan zo om het stokje en dan hoef je alleen de boog maar heen en weer te bewegen.'

Verbluft kijkt Marnix zijn broertje aan. 'Had je dat niet eerder kunnen zeggen?' vraagt hij dan. 'De blaren staan in mijn handen.'

Terwijl Myrthe Max helpt om het koord uit zijn jack te halen, gaat Marnix op zoek naar een geschikte tak. Het is niet eenvoudig om een goede boog te maken en als hij eindelijk klaar is, is het al bijna donker.

'Pak de lamp eens,' zegt Marnix wat kortaf. 'Ik zie bijna niks meer.'

'Doe het zelf,' zegt Myrthe vinnig.

'Ik pak hem wel,' zegt Max.

Een ogenblik later is hij terug. In de lichtcirkel probeert Marnix het koord om het stokje te krijgen en als dat gelukt is, blijkt het nog niet te werken. Er is een tweede stuk hout met een gat nodig om op de bovenkant van het stokje te leggen. Met behulp van de lamp gaan ze op zoek.

Als ze iets gevonden hebben wat bruikbaar is, probeert Marnix het opnieuw. Deze keer lijkt het beter te werken. Door de boog heen en weer te bewegen draait het stokje veel sneller dan eerst. Opeens meent hij een vage geur van verbrand hout te ruiken en tussen het droge gras verschijnt iets dat op een dun pluimpje rook lijkt. Nog sneller laat hij het stokje heen en weer draaien.

Plotseling voelt hij hoe de boog in zijn hand knapt. Meteen schiet het stokje onder zijn andere hand weg. Marnix vloekt.

'En nu?' vraagt Myrthe.

'We moeten een nieuwe boog maken,' zegt Max.

Marnix schudt zijn hoofd. 'Het is nu te donker om nog een geschikte tak te vinden,' zegt hij. 'Morgen probeer ik het wel opnieuw.'

Moedeloos staren ze voor zich uit.

'Wat moeten we als papa niet terugkomt?' snikt Myrthe opeens.

'Ik weet het niet.' Marnix' stem klinkt verstikt. 'Dat zien we morgen wel. Laten we nu maar gaan slapen.'

'Maar ik heb honger,' klaagt Max.

Dan pas voelt Marnix dat hij sinds vanmorgen niets meer heeft gegeten. Zijn maag krampt. Hij haalt de doos uit de tent en kijkt erin. 'We hebben nog zes appels, een krop sla, een pot jam en een heel brood,' zegt hij.

'Daar hebben de muizen van gegeten,' snift Myrthe.

'Alleen van de eerste paar boterhammen,' zegt Marnix.

Ze steekt haar hand uit. 'Ik neem wel een appel.'

Zwijgend eten ze. Opeens begint de lamp te knipperen en meteen wordt het licht zwakker. Haastig doet Marnix hem uit. 'Ook dat nog,' verzucht hij. 'De batterijen zijn leeg.'

6. Mega-mikado

De volgende ochtend is Marnix al vroeg wakker. Hij moet plassen. Stilletjes, om Max en Myrthe niet wakker te maken, kruipt hij uit zijn slaapzak. Hij steekt zijn hoofd om de katoenen tussenwand. Paps slaapzak ligt er nog net zo bij als de vorige avond.

Bedrukt trekt Marnix zijn kleren aan. Buiten is het al wel licht, maar alles is in een ondoordringbare grijze mist gehuld en de bosrand is nauwelijks zichtbaar. Marnix tuurt naar de plek waar de auto heeft gestaan. Is die donkere schaduw misschien...

Terwijl hij erheen rent, blijft zijn voet haken achter iets dat in het gras ligt en hij struikelt. Nog net kan hij zijn val met zijn armen breken. Het touw van de kapotte boog waarmee hij de vorige avond vuur probeerde te maken zit om zijn schoen. Als hij het eraf haalt voelt hij dat het nat is van de dauw. Ook de rest van de spullen is nat. Vuur kunnen ze dus voorlopig wel vergeten. Hij staat op. De donkere vlek die hij een ogenblik aanzag voor de auto van pap blijkt een struik te zijn. Hij had het kunnen weten en toch...

Hij plast tegen een dikke spar. Op de terugweg veegt hij zijn handen af aan het natte gras. Ook zijn gezicht maakt hij nat. Het frisse gevoel van de dauw op zijn huid doet hem goed, maar daardoor merkt hij ook hoe droog zijn mond is. Hij laat zich op zijn knieën vallen en begint de druppels van de grashalmen te likken. Het maakt zijn mond nat, maar het lest zijn dorst niet. Hoe moet dat als Max en Myrthe straks wakker worden? Die zullen ook wel dorst hebben.

Marnix probeert rustig te blijven. Wat moeten ze in hemelsnaam doen? Ze hebben geen drinken meer en alleen nog een half brood, een half potje jam en een paar appels. Ze kunnen niet langer op pap wachten. Maar waar moeten ze heen?

Opeens hoort hij een geluidje achter zich. Verschikt kijkt hij om. De hond van gisteren komt achter de tent vandaan en kwispelt aarzelend. 'Zo ben je daar weer,' zegt hij zacht. 'Je komt zeker weer wat te eten halen?'

De hond kijkt hem scheef aan.

'Ik heb wat brood voor je bewaard,' gaat hij verder. 'De muizen hebben er wel van gegeten, maar dat zal jou niet veel uitmaken.'

Geruisloos, om Max en Myrthe niet wakker te maken, gaat hij de tent in. Gisteravond heeft hij zijn rugzak veilig aan de nokstok in de tent gehangen, zodat de muizen er deze keer niet bij konden. De vijf aangevreten boterhammen zitten in zijn lege lunchdoos. De hond schrokt ze naar binnen alsof hij is uitgehongerd. Als ze op zijn, krijgt Marnix een dankbaar likje over zijn hand. Op dat moment wordt alles hem plotseling te veel en barst hij in snikken uit. Radeloos laat hij zich op zijn knieën zakken. Hij slaat zijn armen om de hond heen en verbergt zijn gezicht in zijn vacht. Alle spanning van de afgelopen dagen komt naar buiten.

Het duurt lang voordat hij een beetje tot bedaren is gekomen. Opeens voelt hij hoe er een natte neus tegen zijn wang wordt gedrukt. Bijna begint hij opnieuw te huilen, maar hij vermant zich.

Terwijl de hond zich tevreden in het lange gras uitstrekt, hoort hij zijn eigen maag knorren. Daarom besluit hij om ook maar een boterham te nemen. Hij telt hoeveel ze er nog hebben: negen. Voor ieder drie dus. Net genoeg voor een ontbijt.

Echt lekker is het brood niet meer. Het is droog en het ruikt muf, maar met jam erop is het te eten en het vult tenminste de maag. Als het op is, heeft hij een vreselijke dorst. Hij heeft wel eens gehoord dat een mens heel lang zonder eten kan, maar niet langer dan drie dagen zonder drinken. Dat is dus het eerste waar ze vandaag aan moeten zien te komen.

Plotseling vallen zijn ogen op het tentdoek dat helemaal overdekt is met dauwdruppels. Hij buigt zich voorover en likt ze er voorzichtig vanaf. Veel is het niet, maar het is of zijn dorst wat minder wordt. Als hij er opnieuw aan likt, ziet hij hoe een paar druppels naar beneden beginnen te rollen. Ze laten een nat spoor achter op het doek en onderaan gekomen vallen ze in het gras. Kon hij die druppels maar opvangen...

Mijn lunchdoos, denkt hij opeens. Hij schudt de kruimels eruit en houdt hem aan de onderrand van de tent. Zachtjes tikt hij tegen het doek erboven. De druppels beginnen allemaal tegelijk naar beneden te rollen. Hij probeert ze nog in de doos op te vangen, maar de meeste vallen ernaast. Teleurgesteld kijkt hij naar het resultaat: net een theelepeltje vol...

Opeens heeft hij een idee. Voorzichtig maakt hij een rij scheerlijnen los en slaat de onderrand van het tentdoek omhoog, zodat het een soort goot vormt. Dan schudt hij aan de tent. De druppels rollen in stroompjes naar beneden. Als de meeste eraf zijn, trekt hij het doek op één plek naar beneden en zet de doos eronder. Het dunne straaltje water dat erin loopt valt tegen.

'Wat ben jij aan het doen?' hoort hij opeens de stem van zijn broertje achter zich.

'Water aan het verzamelen, dat zie je toch.'

'Waarvoor?'

'Om mee te douchen, nou goed?'

Max kijkt hem onderzoekend aan. 'Heb je gehuild?' vraagt hij.

'Nee, eh... j...ja, een beetje,' stamelt hij.

'Om papa?'

Marnix knikt alleen.

'Wees maar niet ongerust,' zegt Max troostend. 'Hij komt...' Opeens begint zijn gezicht te stralen. 'Hé, daar heb je hem weer!' roept hij.

'Wie? Pap?' Met een ruk draait Marnix zich om.

'Nee, Pluto.'

Marnix' teleurstelling is zo groot dat de tranen weer in zijn ogen schieten. Als door een waas ziet hij zijn broertje naar de hond toe rennen.

‘Zie je wel dat hij liever bij ons is?’ roept Max.

Marnix’ keel zit dicht en zonder antwoord te geven loopt hij naar de andere kant van de tent en gaat verder met het verzamelen van dauwdruppels.

‘Wie zit er toch aldoor aan de tent te rommelen?’ hoort hij Myrthe opeens slaperig vragen.

‘Ik,’ antwoordt Marnix. Voordat hij uit kan leggen waar hij mee bezig is, roept Myrthe: ‘Schei daar dan mee uit! Zo kan ik niet slapen!’

‘Je moet toch wakker worden,’ zegt hij opeens boos. ‘Max en ik zijn al aangekleed. Kom er nou maar uit.’ Op dat moment ziet hij hoe de hond aan komt lopen en zijn neus nieuwsgierig in de lunchdoos wil steken. ‘Hé, laat dat!’ roept hij.

‘Je moet niet zo lelijk tegen hem doen,’ zegt Max.

‘Maar hij wilde mijn water opdrinken,’ zegt Marnix.

‘Hij heeft natuurlijk ook dorst.’

‘Dan drinkt hij maar ergens uit een plas. Voor zo’n beest is dat...’

‘Hij heet Pluto,’ onderbreekt Max hem.

Marnix schudt zijn hoofd. ‘Hij is vast van iemand, dus hij heeft al een naam.’

‘Die iemand kennen we niet,’ zegt Max koppig, ‘dus het wordt Pluto.’

Marnix haalt zijn schouders op.

‘Die baas van Pluto is vast heel gemeen,’ gaat Max verder. ‘In elk geval geeft hij hem niet genoeg te eten. We hebben nog brood,’ zegt hij zonder overgang.

‘Hij heeft al wat gehad,’ zegt Marnix. ‘Je weet wel,

die boterhammen waar de muizen aan hebben gevreten.'

Max knikt tevreden. 'Ik heb ook best trek,' zegt hij. 'Zal ik een boterham voor je klaarmaken?' biedt Marnix aan.

'Straks wel.'

Marnix ziet hoe zijn broertje opeens een benauwd gezicht trekt. 'Ga jij nu ook al moeilijk doen?' moppert hij. 'Dat brood is nog heel goed eetbaar en...'

'Dat is het niet.'

'Wat is er dan?'

Max drukt zijn handen kreunend tegen zijn buik. 'Ik moet heel nodig poepen.'

Ondanks alles moet Marnix lachen. 'Nou, dan ga je toch?'

'Maar ik heb geen wc-papier.'

'Dan neem je een pluk mos, dat heb ik gisteren ook gedaan.' Marnix kijkt zijn broertje glimlachend na totdat hij tussen de bomen is verdwenen. Op een of andere manier weet Max hem altijd op te vrolijken.

Een stuk opgewekter dan daarnet gaat Marnix verder met het verzamelen van dauwdruppels. Als er ten slotte niets meer van het tentdoek af komt, zit er niet veel meer dan een klein laagje water in zijn lunchbox; net genoeg voor een paar slokken.

Opeens ziet hij Max het bos weer uit komen. Hij loopt een beetje raar. 'En? Is het gelukt?' vraagt hij.

Max grijpt met een pijnlijk gezicht tussen zijn benen. 'Er zaten dennennaalden tussen het mos.'

'Ja. En?'

'Toen ik mijn billen afveegde, prikten ze in mijn kont.'

Marnix barst in lachen uit.

'Het deed hartstikke pijn, hoor,' reageert Max verongelijkt.

Marnix probeert meelevend te kijken. 'Je hebt ze er toch wel uitgetrokken?' Meteen schiet hij weer in de lach.

Boos draait Max zich om en loopt naar Pluto.

'Sorry,' verontschuldigt Marnix zich. 'Doet het nog pijn?' Maar Max geeft geen antwoord meer. Marnix besluit daarom zijn lunchdoos met water maar in veiligheid te brengen. Voorzichtig om geen water te morsen loopt hij ermee de tent in, doet de deksel erop en zet hem op een veilige plek. Zo hebben ze straks alle drie een paar slokjes bij het ontbijt.

'Kom je er nou uit of niet?' roept Marnix naar Myrthe.

'Ja, straks wel,' antwoordt ze humeurig.

'Nee, nu. Ik wil zo snel mogelijk weg, want ik wil mam bellen. Misschien weet zij wat er met pap is gebeurd. En ook moeten we naar een supermarkt om...'

'Ja, ik kom al,' onderbreekt ze hem.

Terwijl Marnix de tent weer uit gaat, haalt hij zijn portemonnee te voorschijn en telt de munten die erin zitten. Zeven euro dertig. Het is niet veel, maar vast wel genoeg om het een en ander van te kopen. Misschien is het zelfs wel genoeg voor wat lekkers; een zak M&M's bijvoorbeeld... De gedachte alleen al doet hem watertanden.

Tijdens het ontbijt besluiten ze alles wat nog over is op te eten. Ondertussen fantaseren Myrthe en Max over wat ze allemaal voor lekkers kunnen kopen als ze eenmaal een supermarkt hebben gevonden. Marnix zegt maar niets, zoveel geld hebben ze niet eens.

Hij is het eerste klaar. 'Ik maak mijn rugzak nog even leeg,' zegt hij, 'dan kunnen daar straks de boodschappen in.'

Op het grondzeil van de buitentent schudt hij zijn schoolspullen eruit. Terwijl hij alles aan de kant schuift, steekt Myrthe haar hoofd tussen de rits door.

'Moeten we niet een briefje voor papa achterlaten?' vraagt ze. 'Stel je voor dat hij terugkomt, terwijl wij weg zijn.'

'Goed idee,' zegt Marnix. 'Daar had ik helemaal niet aan gedacht.'

'Ik dus wel,' zegt ze met haar neus in de lucht.

Marnix vist zijn agenda tussen het stapeltje uit. Hij valt open op de laatste week voor de vakantie. *Oefenen Cito-toets*, staat er dik onderstreept op woensdag. Het lijkt een eeuwigheid geleden. Hij scheurt een nog lege bladzijde uit zijn agenda. 'Wat zullen we schrijven?' vraagt hij.

'Dat we weg zijn om eten te kopen,' antwoordt Myrthe, 'en dat hij bij de tent op ons moet blijven wachten.'

Marnix pakt een pen uit zijn etui. Terwijl hij schrijft, leest hij de woorden hardop voor:

Pap, als je dit briefje leest, zijn we er niet. We hebben gisteren de hele dag op je gewacht, maar je kwam niet te-

rug. Nu zijn wij maar eten gaan kopen, want alles is op. Blijf alsjeblieft bij de tent. We hopen voor het donker terug te zijn.

'Zolang blijven we toch niet weg?' vraagt Myrthe.

'Ik weet het niet,' antwoordt Marnix. 'Ik heb geen idee hoe ver het is naar de dichtstbijzijnde supermarkt.'

'Als je maar niet denkt dat ik in het donker door het bos ga lopen,' zegt Myrthe vinnig.

Marnix zucht. 'Ik neem de lamp wel mee,' zegt hij.

'Maar de batterijen zijn toch leeg?'

'We kunnen toch nieuwe kopen?'

Als Marnix de rits van de tent dichttrekt, ziet hij Max bovenop de houtstapel staan die aan de andere kant van het pad ligt. 'Kom je?' roept hij. 'We gaan.'

'Ja, ik kom eraan,' roept Max terug. Met zijn armen wijd om zijn evenwicht te bewaren loopt hij over de boomstammen naar hem toe. Plotseling struikelt hij, maar hij valt nog net niet.

'Kijk je wel uit dat je je nek niet breekt,' zegt Marnix.

'Puh,' zegt Max alleen. Hij wringt wat met zijn voet.

'Kom er nou maar af,' zegt Marnix terwijl hij naar de houtstapel toe loopt.

'Ik kan niet,' piept Max benauwd, 'mijn schoen zit klem in een spleet.'

'Dan trek je hem toch los?'

Met zijn vrije voet zet Max zich af tegen een boomstam. ‘Het gaat niet. Hij zit vast.’

‘Haal je voet dan uit je schoen.’

‘Dat gaat ook niet. Au!’ Max wrikt en draait, maar het lukt niet.

‘Wacht maar,’ zegt Marnix, ‘ik probeer die ene stam wel een stukje opzij te duwen en dan trek jij je voet er snel tussenuit.’ Hij zet zijn handen onder het hout. Het voelt kleverig aan en de geur van hars dringt zijn neus binnen. Hij verwacht weerstand, maar de boomstam laat zich gemakkelijk opzij duwen. Dan gebeurt er opeens van alles tegelijk. Met een donker gerommel begint de stapel te bewegen. Max geeft een gil en stort zich voorover. Marnix kan hem nog net opvangen. Terwijl de boomstammen rommelend over elkaar heen rollen, vallen ze samen in het gras. Verbijsterd zitten ze naar de houtstapel te kijken die weer tot stilstand is gekomen.

Verschrikt komt Myrthe aangerend. ‘Wat is er gebeurd?’ roept ze.

Max giechelt. ‘We spelen mikado, alleen dan met boomstammen.’

Marnix kijkt beduusd naar de ravage. ‘Mega-mikado,’ grinnikt hij, ‘we hebben een nieuw spelletje uitgevonden.’

‘Jullie zijn gek,’ zegt Myrthe nijdig. ‘Jullie hadden er wel onder kunnen komen.’

Marnix’ gezicht staat opeens ernstig. ‘Je hebt gelijk, maar gelukkig is het goed afgelopen.’ Hij staat op en kijkt op zijn horloge. ‘Kom laten we gaan. Het is al...’

‘En mijn schoen dan?’ valt Max hem in de rede.

‘Wat is er met je schoen?’

Max houdt een kousenvoet omhoog. ‘Deze. Hij moet daar ergens tussen zitten.’ Hij wijst naar de boomstammen die kriskras over elkaar heen liggen.

Marnix staart verbijsterd van de voet van zijn broertje naar de houtstapel. ‘Vind die maar eens terug,’ mompelt hij.

Met zijn drieën gaan ze op zoek.

‘Ik zie hem!’ roept Max opeens. ‘Daar, tussen die twee dikke stammen.’

Marnix knielt en kijkt. ’Die krijgen we er nooit tussenuit,’ zegt hij. ‘Je zal andere schoenen aan moet trekken.’

‘Hebben we die dan bij ons?’

‘Ja, ik heb schoenen in die zwart met rode tas gezien.’

Terwijl Max terugloopt naar de tent, kijkt Marnix nog eens naar de schoen. Hij ziet zo dat hij er niet bij kan, ook al steekt hij zijn hele arm tussen de boomstammen.

‘Misschien kan je hier wat mee,’ hoort hij Myrthe opeens zeggen. Ze geeft hem een tak, waaraan aan het uiteinde een afgebroken zijtak zit zodat het op een haak lijkt.

‘Super,’ zegt Marnix. Hij steekt de tak tussen de stammen en na wat heen en weer gedraai weet hij de haak in de opening van de schoen te wurmen. Voorzichtig trekt hij, maar de schoen zit blijkbaar ergens achter vast. ‘Ik krijg hem er niet tussenuit,’ zegt hij.

‘Trek dan wat harder,’ zegt Myrthe.

Marnix doet het, maar er gebeurt niets. Ten slotte zet hij zijn voet tegen een van de onderste stammen en trekt zo hard als hij kan. Opeens klinkt er een scherpe knap en valt hij met stok en al achterover.

'Wat doe jij nou?' klinkt de stem van Max naast hem.

'Ik ben aan het hengelen, nou goed.' Marnix gooit de stok waarvan de haak is afgebroken weg. 'Heb je je andere schoenen gevonden?' vraagt hij.

'Ja, maar pap heeft de verkeerde meegenomen. Deze pas ik niet meer.' Max laat de schoenen aan Marnix zien.

'Maar die had je van de zomer toch nog aan?'

'Jawel, maar die zijn nu veel te klein.'

'Laat eens zien.'

Met veel moeite trekt Max de schoenen aan. 'Mijn tenen doen pijn,' klaagt hij. 'Ze zitten helemaal klem tegen de voorkant.'

'En zonder sokken?' vraagt Myrthe.

'Dan krijg ik blaren.'

Marnix zucht. 'Dan zit er niet veel anders op dan dat jij hier bij de tent blijft.'

'Alleen?' Max' gezicht betrekt. 'Dat durf ik niet, hoor. Ik wil met jullie mee.'

'Op een schoen en een sok zeker.'

'Ik kan toch op mijn blote voeten mee? Thuis loop ik ook vaak op blote voeten.'

Marnix schudt zijn hoofd en kijkt naar Myrthe. 'Kan jij niet bij hem blijven?'

'Ik denk er niet over,' roept ze. 'En dan kom jij zeker ook niet meer terug. Ik ga wel een andere tak zoeken met een dikkere zijtak.'

Marnix kijkt zijn zusje na. Hij hoopt dat ze de schoen eronderuit krijgen, want als dat niet lukt hebben ze wel een probleem. Hij staat op en loopt naar de andere kant van de houtstapel om te zien of hij er daar beter bij kan. Opeens ziet hij in een spleet tussen de door elkaar liggende stammen iets wits schemeren. Voorzichtig zet hij zijn voet op de eerste boomstam en buigt zich naar voren. De schoen ligt niet eens zo diep. Hij zou er zo bij kunnen...

'Wat ben je van plan?' vraagt Max een beetje angstig.

Marnix grinnikt. 'We gaan mega-mikado spelen,' zegt hij, 'en ik mag beginnen. Ik moet de schoen te pakken zien te krijgen zonder dat er ook maar iets beweegt. Let goed op.' Voorzichtig begint hij over de wirwar van boomstammen te klauteren totdat hij recht boven de schoen is. Opeens is het of de stam waar hij op steunt een beetje wegzakt. Haastig trekt hij zijn hand terug.

'Je bent af!' roept Max. 'Hij bewoog! Ik zag het! Nou mag ik!'

'Daar komt niets van in,' zegt Marnix, 'veel te gevaarlijk.'

'Voor jou niet zeker?'

Marnix schudt nauwlijks merkbaar zijn hoofd. 'Ik weet wat ik doe.'

'Pff,' zegt Max alleen.

Marnix plaatst zijn hand op een andere stam die

stabieler aanvoelt en laat zijn andere hand in de spleet zakken. Zijn arm verdwijnt er bijna tot zijn schouder in. 'Ik voel hem.' Zijn stem klinkt schor van de spanning.

'Krijg je hem los?' vraagt Max.

Marnix geeft geen antwoord. Voorzichtig begint hij te wrikken en te trekken. Hij kan de hele schoen heen en weer bewegen, alleen de neus zit klem. Toch durft hij niet meer kracht te gebruiken, want hij is bang dat als hij opeens losschiet de hele stapel weer begint te rollen. Het zweet staat op zijn voorhoofd. Hij heeft net besloten om het maar op te geven als de schoen met een kort plopje losschiet. Hij houdt zijn adem in en voelt hoe zijn hart in zijn keel bonkt, maar de boomstammen blijven liggen. Uiterst langzaam haalt hij de schoen ertussenuit. Een ogenblik later gooit hij hem voor de voeten van zijn broertje. Tegelijkertijd brengt hij zichzelf met een reusachtige sprong in veiligheid. Met zijn rug naar de houtstapel wacht hij op het rommelende geluid van vallende boomstammen, maar alles blijft stil. Hij lacht opgelucht. 'Toch speel ik liever gewoon mikado,' zegt hij.

7. Dorst

Eindelijk kunnen ze vertrekken. Terwijl Myrthe de tent sluit, gooit Marnix zijn rugzak over zijn schouder.

'Wat doen we met Pluto?' vraagt Myrthe.

'Die moet hier blijven,' antwoordt Marnix.

'Kan hij niet met ons mee?' vraagt Max.

'Nee, dat gaat echt niet. Dat is alleen maar lastig. Trouwens, we hebben niet eens een riem.'

'Ja, maar dan is hij de hele dag alleen.'

'Hij kan toch terug naar zijn baas?'

'Dat wil hij niet, dat zie je toch.'

Marnix schudt zijn hoofd. 'We kunnen hem toch niet zomaar meenemen? Hij is niet van ons. Trouwens, we komen hier hoe dan ook terug, want we kunnen onze spullen hier niet achterlaten en dan zien we wel of Pluto er nog is.'

Max sputtert nog wat tegen, maar ten slotte legt hij zich erbij neer.

'Pluto, blijf,' zegt Marnix streng. 'Jij past op de tent.'

'Denk je nou echt dat dat beest je verstaat?' vraagt

Myrthe smalend, maar Pluto houdt zijn kop scheef en gaat zitten.

'Zie je wel dat hij het begrijpt?' Zonder op haar te wachten begeeft Marnix zich op weg. Max komt naast hem lopen en Myrthe volgt op een afstandje. Zo nu en dan kijken ze even om, maar Pluto blijft netjes zitten. Het stelt Marnix een beetje gerust.

Als ze voorbij de eerste bocht zijn, staat Max opeens stil. 'Als papa hier is verdwaald, hoe vinden *wij* de tent dan terug?' vraagt hij.

Marnix kijkt hem verbluft aan. 'Daar heb ik helemaal niet aan gedacht,' zegt hij.

'Als we nou eens een spoor van steentjes maken?' stelt Max voor, 'net zoals Klein Duimpje.'

'Ik dacht dat die broodkruimels had gebruikt,' zegt Marnix.

'Ja, maar die werden door de vogels opgegeten en toen kon hij de weg naar huis niet meer vinden.'

Marnix herinnert zich het verhaal vaag. De vader van Klein Duimpje had zijn kinderen in het bos achtergelaten, alleen waarom weet hij niet meer. Opeens krijgt hij het benauwd: pap zal hen toch niet met opzet...

'We kunnen ook pijlen maken,' onderbreekt Max zijn gedachten.

Marnix zucht. 'Wat bedoel je?'

'Gewoon, zo.' Max raapt een tak op en krast een pijl in de grond aan zijn voeten.

'Dat is een idee,' zegt Marnix, 'alleen valt deze niet goed op. Hij moet groter en dieper. Geef mij die tak eens.' Diep voorover gebukt kerft hij een grote pijl in het pad. Opeens hoort hij Max lachen.

'Kijk eens achter je,' zegt hij.

Marnix kijkt om. Bij de vorige bocht in het pad is Pluto verschenen en komt vrolijk naar hen toe gelopen.

'Wat zei ik je?' zegt Myrthe.

'Pluto, ga terug!' roept Marnix en wijst in de richting vanwaar ze gekomen zijn.

Weifelend blijft de hond even staan, maar dan loopt hij gewoon verder.

'Hij wil met ons mee,' zegt Max.

Marnix schudt zijn hoofd. 'Dat kan niet. Daar hebben we het al over gehad.'

'Je lijkt pap wel,' mompelt Myrthe.

Op dat moment is het of er een waas voor Marnix' ogen trekt. 'Ga terug, rothond,' schreeuwt hij. In een opwelling gooit hij de tak naar hem toe.

Max begint te huilen. 'Je moet niet zo gemeen doen tegen Pluto,' snikt hij. 'Het is geen rothond. Hij wilde alleen niet in zijn eentje bij de tent blijven en daarom...' Opeens lacht hij door zijn tranen heen. 'Kijk nou eens,' zegt hij.

Marnix volgt zijn blik en ziet Pluto vrolijk aan komen rennen. De hond heeft de stok in zijn bek. Het volgende ogenblik laat hij hem voor Marnix' voeten op de grond vallen.

'Blijf daar maar eens boos op,' zegt Marnix. Grinnikend raapt hij de tak op.

Pluto blaft enthousiast.

‘Hij wil dat je hem weer weggooit,’ zegt Max.

Marnix slingert de tak zover weg als hij kan. Hij beseft pas dat het in de richting is die ze op moeten, als Max blij roept: ‘Dus hij mag mee?’

Marnix knikt alleen.

Terwijl ze hun weg vervolgen moet Max de tak van Pluto telkens opnieuw gooien. Door het plezier dat die twee hebben vergeet Marnix zijn zorgen om pap een beetje. Hij zoekt een andere tak en krast op regelmatige afstanden duidelijk zichtbare pijlen in de met aarde bedekte delen van het pad. Tot aan het modderige stuk weet hij weliswaar de weg, maar je weet nooit...

Een paar minuten later zijn ze er. In de diepste sporen staat nog wat water. Pluto loopt er meteen naartoe en terwijl zijn poten diep in de modder wegzakken, begint hij te drinken.

‘Ik barst van de dorst,’ zegt Max. ‘Zou ik dat ook kunnen drinken?’

Marnix schudt zijn hoofd. ‘Dat zou ik niet doen, want dan ga je aan de poeperij.’ Hij wenkt. ‘Kom, we moeten verder. Hoe eerder we dit bos uit zijn, hoe beter.’

Achterelkaar lopen ze dicht langs de bomen, waar de grond droog is. Als ze er voorbij zijn, komt Pluto hen voorbij stuiven met de stok weer in zijn bek. Hij gooit hem voor Max’ voeten neer.

‘Nu even niet, Pluto,’ zegt Marnix.

‘Waarom niet?’ vraagt Max.

‘Omdat we vanaf hier paps bandensporen weer

moeten volgen. We moeten dus allemaal goed opletten, zodat we niet verkeerd gaan. Bovendien moet je je krachten sparen, want ik weet niet hoever het nog lopen is.'

Teleurgesteld blijft Pluto staan als Max de tak niet opraapt en verder loopt, maar een ogenblik later komt hij toch achter hen aan.

'Weet jij eigenlijk waar we zijn?' vraagt Myrthe. 'Ik bedoel in welk land?'

Marnix haalt zijn schouders op. 'Geen idee. België, dacht ik, maar het kan ook zijn dat we in Frankrijk zitten. We horen het wel als we in de bewoonde wereld komen.'

'Een dorp, bedoel je?'

'Ja, of een stad.'

'Daar kunnen we dan iets te drinken kopen en... Hoeveel geld hebben we eigenlijk bij ons?' onderbreekt Myrthe zichzelf.

'Zeven euro dertig,' antwoordt Marnix. 'Het is niet veel, maar genoeg om iets van te kopen.'

'Engelse drop!' roept Max.

Marnix tekent een nieuwe pijl. 'We zien wel,' zegt hij.

Terwijl ze verder lopen wordt het bos afwisselender. Tussen de sparren groeien ook loofbomen, waardoor het bos minder somber lijkt. Bovendien daalt het pad licht, wat het lopen makkelijk maakt. Als ze om de volgende bocht komen, zien ze een enorme houtstapel.

'Zullen we nog een spelletje mikado doen?' grapt Max.

'Als je het maar laat,' zegt Marnix.

'Gaan we eigenlijk wel goed?' vraagt Myrthe. 'Ik kan me deze houtstapel helemaal niet herinneren.'

'Dat kan wel kloppen, want toen we hierlangs kwamen op de heenweg, sliepen we.' Marnix laat zijn hand even over het hout gaan. 'Daarom moeten we nu niet verkeerd lopen.'

Maar de bandensporen van de auto zijn vrij makkelijk te volgen. Zo nu en dan is er een kruising met een ander pad. Meestal gaan ze gewoon rechtdoor, maar een enkele keer ook naar links of naar rechts. Bij elke bocht hoopt Marnix iets van menselijk leven te zien, maar telkens zijn er alleen maar bomen, bomen en nog eens bomen. Het is of er geen eind aan komt. Braaf blijft hij pijlen in de grond krassen.

Plotseling, na weer een bocht en de zoveelste houtstapel staan ze voor een T-kruising. Het wegdek ervan is verhard met puin.

'En nu?' vraagt Marnix, meer aan zichzelf dan aan de anderen. Hij wijst naar de hond die alvast naar links is gelopen en hen afwachtend aankijkt. 'Hij zegt dat pap die kant op is gegaan.'

'Pluto zegt helemaal niks,' merkt Myrthe wat zuur op. 'Honden kunnen niet praten.'

Marnix doet zijn mond al open voor een weerwoord als de hond begint te blaffen.

Ze schieten alle drie in de lach.

'Zie je wel dat hij kan praten,' zegt Max, 'maar jij bent gewoon te stom om het te verstaan!'

'Pff,' zegt Myrthe alleen.

'Maar welke kant gaan we nu op?' vraagt Marnix.

'Volgens mij moeten we naar rechts,' zegt Myrthe. 'Hier loopt een heel duidelijk bandenspoor.'

Marnix buigt zich eroverheen. 'Dat is van een tractor,' zegt hij, 'maar ik zie meerdere bandensporen.' Hij speurt de weg af. 'Ze gaan naar rechts, maar ook naar links.'

'Zijn die van papa's auto er ook bij?'

'Dat kan ik niet zien. Daarvoor zijn ze te vaag.' Marnix loopt een eindje naar links. 'Hier in de berm is een duidelijke afdruk van een autoband. Hij lijkt wel een beetje op die van onze auto, maar ik weet het niet zeker.'

'Ik vind dat we linksaf moeten gaan,' zegt Max. 'Pluto is ook al die kant op gelopen.'

Myrthe zucht. 'Wat denk jij?' vraagt ze aan Marnix.

Hij haalt zijn schouders op. 'Geen idee.'

'Dan gaan we dus linksaf,' zegt Max.

'Hoezo?' vraagt Myrthe verstoord.

'Omdat het twee tegen één is,' zegt hij. 'Pluto en ik tegen jou.'

Na wat heen en weer gepraat, besluiten ze toch maar linksaf te gaan. Het pad is een stuk breder dan dat wat ze eerst volgden. Ook ziet het er meer als een echte weg uit. Toch komen ze niemand tegen, zelfs geen wandelaar of iemand die zijn hond uitlaat. De verlatenheid en de stilte beginnen Marnix te benauwen, daarom begint hij steeds sneller te lopen. Hij wil eindelijk wel eens weten waar deze weg heen leidt.

Na een scherpe bocht staan ze plotseling voor een zwart ijzeren hek met een soort pijlpunten erbovenop. Het ziet er niet echt gastvrij uit.

'Had ik toch gelijk, hè?' zegt Myrthe triomfantelijk. 'Papa is bij die T-kruising de andere kant op gegaan. Dit loopt dood, dus we kunnen beter omkeren.'

Marnix kijkt tussen de spijlen van het hek door. 'Ik zou wel eens willen weten wat hierachter ligt.'

'Waarschijnlijk gewoon een huis,' zegt Myrthe. 'Maar we zouden eten gaan kopen. En we mogen wel opschieten, want het kan best nog een heel eind zijn naar de dichtstbijzijnde supermarkt. Ik weet niet hoe laat de winkels hier dichtgaan...' Haar ogen worden opeens groot van schrik. 'We hebben er helemaal niet aan gedacht dat het vandaag zondag is,' zegt ze. 'De winkels zijn gesloten. We kúnnen helemaal geen eten kopen. En drinken ook niet.'

Ze kijken elkaar onthutst aan.

'Maar ik heb zo'n dorst.' Max' stem trilt. 'Ik heb een hele droge mond.'

Marnix hoeft niet lang na te denken. 'Als hierachter een huis staat, dan kunnen we daar vragen of we mogen opbellen en ook of we misschien wat water kunnen krijgen,' zegt hij vastberaden.

'En wat te eten,' vult Max hem aan. 'Ik zou best een boterham lusten.'

'Ben je gek,' zegt Marnix. 'We zijn geen bedelaars.'

Max kijkt verongelijkt voor zich uit.

Marnix zucht. 'Laat het nou maar aan mij over,' zegt hij kortaf. Hij duwt de klink van het hek naar beneden, maar het zit op slot. Zoekend laat hij zijn ogen over de gemetselde kolommen gaan waar het hek op scharniert. 'Ik zie nergens een bel,' zegt hij. 'Wat moeten we nu?'

'Gewoon tussen de spijlen door,' zegt Max. Voordat Marnix er iets van kan zeggen staat hij aan de andere kant. Pluto wringt zich er ook tussendoor. Maar als Myrthe het probeert, blijft ze steken.

'Dat komt door je dikke billen,' giechelt Max.

'Wacht maar,' dreigt ze, 'ik krijg je nog wel.'

Marnix onderzoekt intussen het hekwerk ernaast. Het loopt tussen de struiken verder, maar het komt niet hoger dan zijn middel en er zitten geen punten op. 'Hier kunnen we eroverheen,' roept hij gedempt.

Myrthe werkt zich door het struikgewas naar hem toe en even later voegen ze zich bij Max. Zwijgend vervolgen ze hun weg. Pluto loopt zelfverzekerd voor hen uit, alsof hij de weg kent.

Plotseling, na een paar bochten, zien ze tussen de bomen door een wit huis opdoemen. Als ze dichterbij komen, blijven ze half verborgen achter een paar struiken staan. Voor het huis ligt een keurig gemaaid grasveld waar een breed grindpad omheen loopt. In het midden staat een zonnewijzer.

'Ik hoop niet dat de mensen die daar wonen boos op ons zijn,' fluistert Myrthe.

'Waarom?' vraagt Marnix.

'Nou ja, we zijn toch over het hek geklommen?'

'Ja, dat is zo, maar hoe hadden we hier dan moeten komen? Ik heb geen bel gezien.'

'Heb jij daar dan naar gekeken?'

'Nee.'

Ze staan een poosje naar het huis te kijken.

'Wat zeggen we straks als ze opendoen?' vraagt Myrthe half fluisterend.

'Vragen of we op mogen bellen.'

'En als ze willen weten waarom?'

Marnix moet er even over nadenken. Hij wil liever niet zeggen dat ze met een tent in het bos staan, want dan moet hij veel te veel uitleggen.

'En als je nu eens vertelt dat we pap zijn kwijtgeraakt tijdens een wandeling,' stelt Myrthe voor, 'en dat we de auto ook niet meer terug kunnen vinden?'

Marnix knikt opgelucht.

Een ogenblik later verlaten ze de veilige bosrand en begeven ze zich op weg naar het huis. Het grind knerst onder hun schoenen.

Opeens ziet Marnix de hond het grasveld oplopen. Hij stevent recht op de zonnewijzer af. 'Pluto, kom terug,' roept hij gedempt. 'Nee! Niet tegen de zonnewijzer!' Maar het is al te laat. Hij gluurt naar het grote raam naast de voordeur. Als de mensen die hier wonen het maar niet gezien hebben...

Even later staan ze voor het huis. De voordeur ligt half verscholen in de schaduw van een houten pergola.

'En nu?' fluistert Myrthe.

'Aanbellen,' fluistert Marnix. 'Laat mij het woord maar doen.'

'Zouden ze ons wel verstaan?'

'Ik hoop het wel. Volgens mij zijn we nog steeds in België en daar verstaan ze Nederlands.' Ondertussen laat Marnix zijn blik langs de deurstijl gaan. Aan de rechterkant zit een grote koperen knop. Als hij erop drukt gebeurt er niets.

'Volgens mij moet je eraan trekken,' fluistert Myrthe.

Marnix schrikt zich een ongeluk van het lawaai. De bel galmt door het huis. Als het weer stil is, luistert hij gespannen, maar binnen is geen geluid te horen.

'Misschien slapen ze uit,' fluistert Myrthe.

'Dan zijn ze nu wel wakker.' Ondanks alles moet Marnix grinniken. Hij wacht lang, maar er wordt niet opengedaan.

'Probeer het nog eens,' zegt Max.

Opnieuw trekt Marnix aan de bel, deze keer minder hard, maar het lawaai is er niet minder om. 'Als ze nu niet wakker zijn...' mompelt hij. 'Van dat lawaai wordt zelfs een dooie wakker.'

Verschrikt kijkt Myrthe hem aan. 'En als ze nou eens echt dood zijn?'

'Doe niet zo gek.'

'Nou ja, dat soort dingen hoor je toch wel eens? Iemand die in een afgelegen huis woont en door een inbreker op zijn kop wordt geslagen?'

'Kom nou, je ziet spoken,' werpt Marnix tegen, maar de woorden van zijn zusje hebben hem toch onrustig gemaakt. Met een bonzend hart loopt hij naar het grote raam links van de voordeur en tuurt met zijn hand boven zijn ogen naar binnen. 'Niemand te zien,' zegt hij stoer. 'Geen inbrekers en ook geen dooien. Alles ziet er heel gewoon uit.'

Ergens in de verte klinkt opeens klokgelui.

'Misschien zitten ze in de kerk,' zegt Myrthe.

'Dat zou best eens kunnen.' Marnix kijkt op zijn horloge. 'Kwart voor twaalf, volgens mij gaat de kerk dan uit. Misschien komen ze zo meteen thuis,' zegt hij hoopvol. 'Laten we nog maar even wachten.'

Myrthe en Max gaan op het stoepje bij de voordeur zitten. Na een korte aarzeling neemt Marnix naast hen plaats. Pluto laat zich aan zijn voeten op de grond ploffen.

Er wordt niet veel gezegd. Max speelt wat met de steentjes van het grind en Myrthe heeft een bloem van de klimplant die tegen de pergola op groeit geplukt. Terwijl ze naar de bosrand tuurt, ruikt ze eraan. Marnix luistert gespannen of hij een auto aan hoort komen, maar alles blijft stil.

Intussen is Pluto ergens anders gaan liggen. Hij heeft zich languit in de zon op het grasveld uitgestrekt. Het liefst zou Marnix ernaast gaan liggen, maar dat durft hij toch niet. Stel je voor dat die mensen net thuiskomen. Hij gaapt. 'Waar blijven ze,' mompelt hij. 'De kerk is allang uit. Langzamerhand zouden ze toch thuis moeten komen.'

'Het is zondag,' zegt Myrthe. 'Het kan net zo goed dat ze op visite zijn. Misschien komen ze wel heel laat thuis.'

'Misschien zijn ze op vakantie,' zegt Max, 'net als wij. Dan komen ze pas over een week thuis.'

8. Ze zijn naar ons op zoek!

Het is al over enen als ze besluiten dat het geen zin heeft om nog langer te wachten.

'Zullen we dan maar?' zegt Marnix. Hij komt een beetje stijf overeind.

'Waar is Pluto?' vraagt Max over het grasveld turend.

'Ik zag hem daarnet nog,' zegt Myrthe. 'Hij liep de kant van de garage op.'

'Pluto, kom terug! We gaan weg!' roept Marnix. Het volgende ogenblik ziet hij de hond met een druipende bek vanachter het huis tevoorschijn komen.

'Water!' roept Max. 'Waar heeft hij dat gevonden?' Hij springt overeind en verdwijnt even later om de hoek. 'Er zit hier een kraan!' gilt hij.

Het klaterende geluid herinnert Marnix weer aan zijn vreselijke dorst. Hij trekt Myrthe overeind en samen rennen ze erheen.

Max staat voorovergebogen te drinken alsof de kraan leeg moet.

Myrthe tikt hem ongeduldig op zijn rug. 'Mag ik

nou?' vraagt ze.

'Ja, zo.' Na nog een paar handenvol water over zijn hoofd te hebben gegooid, stapt Max opzij.

Marnix wacht liever tot zijn zusje klaar is met drinken, want dan kan hij rustig zijn gang gaan. Naast hem staat een grote gieter. Pluto stopt zijn kop erin en slobbert nog een keer lekker van het water. 'Pas maar op,' grinnikt Marnix, 'straks krijg je je kop er niet meer uit.'

Pluto kijkt hem sullig over de rand aan.

Even later is Marnix aan de beurt. Hij laat het water over zijn handen stromen en drinkt dan tot hij het gevoel heeft dat hij knapt.

'Hè, dat was lekker,' zegt hij. 'Nu nog een paar verse broodjes.'

'Waar wilde je die vandaan halen?' vraagt Myrthe.

'Hmm,' bromt hij alleen.

Myrthe staart mistroostig voor zich uit. 'Ik heb nu wel geen dorst meer, maar ik heb nog steeds hartstikke honger.'

Marnix doet zijn rugzak af. 'Ik heb nog een halve appel,' zegt hij.

'En jij dan?'

'Ik heb er niet zo'n trek meer in.' Het is niet helemaal waar, maar hij geeft hem toch aan Myrthe. Ze zet er meteen haar tanden in. Anders doet ze dat nooit. Mam moet een appel altijd eerst voor haar schillen en in partjes snijden, maar nu schrokt ze hem naar binnen alsof ze is uitgehongerd. Ze móéten aan eten zien te komen, ook al is het zondag. Daarom wil Marnix zo snel mogelijk terug naar de T-kruising om daar de andere kant op te gaan. In het dorp waar het klokgelui vandaan kwam, moeten toch mensen wonen die...

'Waar is Max eigenlijk?' onderbreekt Myrthe zijn gedachten.

Marnix kijkt zoekend om zich heen. 'Ik weet het niet. Net was hij hier nog.'

Ze lopen terug naar de voordeur, maar daar is hij ook niet.

'Max! Waar zit je!' roept hij gedempt. Ze luisteren roerloos, maar er komt geen antwoord.

'Pluto is er ook niet,' merkt Myrthe op.

Marnix tuurt het pad af waarover ze gekomen zijn, maar tussen de bomen en stuiken is geen beweging te zien.

'Die twee kunnen toch niet zomaar verdwenen zijn?' vraagt Myrthe angstig.

'Natuurlijk niet,' zegt Marnix. Hij zet zijn handen als een toeter om zijn mond en roept een paar maal luid Max' naam.

Opnieuw luisteren ze, maar alleen een vogel antwoordt.

'Ik ben bang,' fluistert Myrthe. 'Straks komt Max ook niet meer terug, net als papa.'

'Wat een onzin,' zegt Marnix, maar zelf is hij er ook niet echt gerust op. Besluiteloos staart hij voor zich uit.

'Kijk eens wat ik gevonden heb,' hoort hij opeens de stem van Max achter zich.

Met een ruk draait Marnix zich om. Vanachter de pergola ziet hij zijn broertje tevoorschijn komen met een grote bos wortelen in zijn handen. Trots houdt hij ze voor zich uit.

'Waar kom jij vandaan?' snauwt hij.

'Vanachter het huis,' antwoordt Max een beetje beduusd.

'Heb je me niet horen roepen?'

'Nee, ik was helemaal achter in de tuin. Daar zijn allemaal dingen die je kan eten: sla en boontjes en andijvie, maar dat lust ik allemaal niet. Worteltjes wel.'

Even weet Marnix niet wat hij moet zeggen. 'Had je niet even kunnen zeggen waar je heen ging?' vraagt hij dan. 'We waren hartstikke ongerust.' Terwijl hij het zegt voelt hij zijn boosheid alweer zakken. Max ziet er niet uit. Zijn broekspijpen en handen zijn smerig en over zijn voorhoofd loopt een vieze veeg. 'Wat wilde je eigenlijk met die wortels?' vraagt hij een stuk vriendelijker.

'Opeten natuurlijk.'

'Met al dat zand eraan zeker,' zegt Myrthe.

'Natuurlijk niet. Ik kan ze toch afspoelen?' Max verdwijnt weer achter de pergola.

'Hé, wacht even,' roept Marnix. 'Waar is Pluto?'

'Die is daar nog, geloof ik.' Max houdt de wortels onder de kraan. 'Er is daar ook een soort glazen huisje waarin tomaten groeien,' gaat hij verder. 'Ik heb er een hele hoop geplukt, maar...'

'Ben je nou helemaal gek!' onderbreekt Marnix hem geschrokken.

Max trekt een sip gezicht. 'Ik dacht dat jullie honger hadden.'

'Ja, dat is zo, maar dan kan je iemands moestuin toch niet plunderen? Dat is stelen.'

'Ben je dan niet blij dat ik iets te eten heb gevonden?'

Marnix zucht. 'Ja, natuurlijk wel.'

'Ze zullen het heus niet merken, hoor,' zegt Max. 'Er zijn worteltjes genoeg en aan die planten in dat glazen huisje zitten wel honderd tomaten. Maar ik had mijn handen vol en ik kon er maar twee meenemen.' Hij legt de druipende bos wortels op de grond en haalt uit allebei zijn zakken een geplette tomaat. 'Ik heb er al een gehad,' zegt hij. 'Deze zijn voor jullie.'

Marnix schudt zijn hoofd, maar hij eet de tomaat toch op. 'En wijs ons nu maar gauw waar die moestuin is,' zegt hij. 'We moeten daar je sporen uitwissen voordat die mensen thuiskomen.'

Terwijl Marnix de bos wortels in zijn rugzak stopt, zijn de andere twee al op weg erheen. Hij probeert nog even de resten wortelloof en de natte kluiten aarde met zijn handen van de tegels te vegen, maar hij maakt het alleen maar viezer. Dan haast hij zich achter de andere twee aan.

Max wenkt hem vanachter een hoge heg. Als Marnix eromheen loopt, staat hij opeens aan de rand van een grote moestuin. Rechts van hem ziet hij een hele rij stokken waar planten tegenop kronkelen met lange bonen eraan. Voor zijn voeten staan twee rijen met wel twintig kroppen sla en even verderop groeien uien en rode kool. 'Waar zijn die tomaten nou?' vraagt hij aan Max.

'Daar.' Zijn broertje wijst naar de hoek van de moestuin, waar een kleine kas staat.

Plotseling ziet Marnix vanachter de bonenstaken aarde door de lucht vliegen. 'Daar is iemand bezig,' fluistert hij geschrokken.

Max lacht. 'Dat is Pluto. Hij graaft worteltjes uit en die eet hij allemaal op.'

'Pluto! Niet doen!' roept Marnix. Hij rent langs de bonenstaken. Een ogenblik later kijkt hij ontzet naar de ravage die de hond heeft aangericht. De helft van het bed wortelen ziet eruit alsof het is omgeploegd en overal liggen half aangevreten wortels met geknakt loof eraan. Hij pakt Pluto bij zijn halsband en trekt hem weg. 'Stom beest,' foetert hij. 'Hoe krijgen we dit nu weer in orde?'

'Vergeet het maar,' zegt Myrthe. 'Dat kan niet meer.'

'Hier krijgen we narigheid mee,' zegt Marnix. 'Daarom moeten we maken dat we hier wegkomen.'

'En wat doen we dan met mijn tomaten?' vraagt Max.

'Liggen laten.'

'Maar dat is toch zonde?' protesteert Myrthe.

'Die mensen zullen ze heus wel opeten.'

'Ja, maar *wíj* hebben honger.' Ze draait zich om naar Max. 'Waar liggen ze?'

'Daar.' Hij wijst naar de kas.

Voordat Marnix ze tegen kan houden, rennen ze erheen. Met een zucht volgt hij hen. In de kas is Myrthe bezig de tomaten in de omgeslagen onderkant van haar

T-shirt te stoppen. Vlug doet Marnix zijn rugzak af. 'Doe ze hier maar in,' zegt hij.

Ze kiepert de tomaten bovenop de bos wortelen.

'En nu wegwezen,' zegt hij. 'Ik wil liever niet op diefstal worden betrapt.'

Maar Myrthe blijft staan. 'Er staat daar een appelboom.' Ze wijst. 'Zal ik ook een paar appels meenemen?'

'Nee, dat kunnen we niet maken,' protesteert Marnix.

'Maar ze liggen gewoon op de grond.'

'Nou, schiet dan maar op.'

Haastig propt Myrthe zoveel appels in de zakken van haar jack als erin passen. Dan maken ze dat ze wegkomen. Bij de heg stopt Marnix even om te zien of de kust veilig is, dan rennen ze langs het huis, steken dwars het grasveld over naar het pad dat naar het hek leidt. Hijgend komen ze er aan. Even later staan ze aan de andere kant.

'En nu zo snel mogelijk weg hier,' zegt Marnix.

'Waarom?' vraagt Myrthe. 'We zijn nu toch buiten het hek?'

'Jawel, maar ik wil die mensen van het huis toch liever niet tegenkomen. Als ze hun moestuin zien, dan begrijpen ze meteen dat wij daar zijn geweest en dan komen ze ons achterna.'

'Dan verstoppen we ons toch?' zegt Max.

'Als dat kan, ja.' Meteen zet Marnix er stevig de pas in.

Max heeft moeite om hem bij te houden. 'Gaan we

nu weer terug naar de tent?' vraagt hij hijgend.

Marnix schudt zijn hoofd. 'Nee, ik wilde naar het dorp, waar dat klokgelui vandaan kwam.'

'Maar dat heeft toch geen zin,' zegt Myrthe. 'De winkels zijn dicht.'

'Dat weet ik, maar ik wil proberen om mam te bellen.'

Een kwartiertje later zijn ze terug bij de kruising. Zonder te stoppen lopen ze verder. De weg daalt, waardoor ze goed opschieten. Na een tijdje komen ze bij een weiland. Het duidt erop dat ze de bewoonde wereld naderen.

'Kijk eens!' roept Myrthe als ze de zoveelste bocht omgaan. 'Bramen!'

In de berm langs de weg is het een wirwar van door elkaar groeiende ranken. De meeste bramen zijn verdroogd, maar er zitten nog wat eetbare aan. Myrthe begint ze meteen te plukken. Marnix houdt niet zo van bramen, maar ze stillen zijn honger tenminste een beetje.

Opeens lacht hij. 'Kijk nou eens,' zegt hij. 'Pluto lust ze ook. Moet je zien hoe handig hij de stekels weet te...'

'Stil eens!' onderbreekt Myrthe hem. 'Ik geloof dat ik een auto hoor.'

Marnix luistert gespannen. Vanuit de richting waar ze heen moeten, komt inderdaad een gedempt gebrom dat snel dichterbij komt.

'We moeten ons verstoppen,' sist Myrthe.

Marnix kijkt zoekend om zich heen. De takken van de braamstruik groeien veel te dicht op elkaar en aan de andere kant gaat het steil naar beneden. Opeens begint zijn hart als een gek te bonzen. Het geluid van de motor komt hem bekend voor!

Op hetzelfde moment rent Max naar het midden van de weg. 'Papa!' roept hij. Het volgende ogenblik komt er een donkerrode Volvo de bocht om. 'Het is papa niet,' zegt hij. Er klinken tranen door in zijn stem.

'Nee.' Marnix heeft moeite om zich goed te houden. Hij trekt zijn broertje aan de kant. 'Ik dacht ook even dat het pap was,' zegt hij. 'Die auto klonk precies hetzelfde.'

'Dat komt omdat het ook een V40 is,' zegt Max door zijn tranen heen. 'Alleen de kleur...'

Marnix hoort niet meer wat zijn broertje verder zegt, want opeens beseft hij dat dit waarschijnlijk de mensen van het huis met de moestuin zijn. Hij doet verschrikt een stapje achteruit als de auto inhoudt en naast hem tot stilstand komt. Het zijraampje zoeft naar beneden. Achter het stuur zit een man die hem vanonder twee warrige wenkbrauwen vriendelijke aankijkt. Hij wijst naar de hond en vraagt hem iets in een vreemde taal.

Max is hem voor. 'Pluto,' antwoordt hij.

De man glimlacht en wendt zich naar de vrouw die naast hem zit. Ze praten even. Marnix verstaat er geen woord van. Het lijkt een beetje op Duits. In elk geval is het geen Frans. Dan begint de man een heel verhaal tegen hen. Als hij ten slotte zwijgt, gebaart Marnix een beetje beduusd dat hij er niets van begrepen heeft.

Verbaasd kijkt de man hem aan, dan maakt hij met een handgebaar duidelijk dat het niet geeft. Hij steekt zijn hand op en rijdt door.

Marnix kijkt de auto na tot hij om de bocht is verdwenen. 'Dat zijn ze!' sist hij.

Myrthe begrijpt meteen wat hij bedoelt. 'Zouden ze mijn appels hebben gezien?' Ze voelt schichtig aan haar uitpuilende zakken.

Marnix kijkt ernaar. 'Je ziet alleen maar bobbels; de appels zelf zie je niet.'

'En als ze straks in de moestuin gaan kijken?' vraagt Max angstig.

'Waarom zouden ze?' Marnix haalt zijn schouders op.

'Omdat die rommel van de wortels nog op het pad ligt,' antwoordt Myrthe. 'Ze hoeven het spoor maar te volgen en als ze dan de puinhoop in de moestuin zien...'

Verschrikt kijkt Max haar aan. 'Ze weten toch niet dat wij dat hebben gedaan?'

'Wij? Jij, zul je bedoelen!' zegt Myrthe bits.

'Ik niet alleen. Pluto ook.'

'Pluto is een hond, die weet niet beter. Jij wel.'

'Maar jij hebt appels gepikt.'

'Die lagen op de...'

'Hou op met dat geruzie,' kapt Marnix hen af. 'Laten we liever verder gaan.'

'En wat doen we als die mensen achter ons aan komen om te vragen of wij er meer van weten?' vraagt Myrthe.

Marnix kijkt bezorgd in de richting waarin de auto verdwenen is.

'Misschien zijn het die mensen van de moestuin helemaal niet,' oppert Max. 'Misschien zijn het gewoon mensen die een eindje gaan wandelen.'

Marnix knikt nadenkend. 'Je zou best eens gelijk kunnen hebben,' zegt hij. 'Het is zondag en het is mooi weer. Misschien komen ze hier gewoon om een wandeling te maken.' Opeens begint hij terug te lopen.

'Waar ga je heen?' vraagt Myrthe.

Marnix draait zich om. 'Terug naar de T-kruising. Áls het wandelaars zijn dan zetten ze hun auto waarschijnlijk daar neer. Voor zover ik weet, is dat de enige plek waar een pad het bos in gaat.'

'En dan?'

'Vragen of we hun mobieltje even mogen gebruiken; ze hebben er vast wel een bij zich. En ook al spreken ze geen Nederlands, we moeten ze toch duidelijk kunnen maken dat we willen bellen.'

Myrthe staart hem een ogenblik sprakeloos aan. 'Dan mogen we wel opschieten!' roept ze. 'Die mensen wachten heus niet op ons.'

'Nee, maar als ze vertrokken zijn, dan wachten we gewoon bij hun auto tot ze terugkomen.'

'En als er geen auto staat?'

'Dan waren het wel de mensen van de moestuin.'

Myrthes gezicht betrekt. 'En dan komen ze ons achterna als ze hun moestuin hebben gezien.'

Marnix knikt. 'Dus in allebei de gevallen moeten we snel terug. Morgen moeten we dan maar naar het dorp. Dan zijn de winkels ook open. Voor vanavond hebben we tenminste iets te eten.' Marnix draait zich om en zet er meteen flink de pas in.

Als ze buiten adem bij de kruising aankomen, is er nergens een auto te bekennen; niet op de weg en ook niet op het pad dat het bos in loopt.

'Het waren dus toch die mensen van de moestuin,' zegt Myrthe. 'Laten we maar gauw verdergaan, want ik...'

'Stil eens even,' kapt Marnix haar af. In de verte klinkt een zwak brommend geluid dat langzaam aanzwelt.

'Daar heb je ze!' fluistert Myrthe. 'Wegwezen!' In paniek rent ze het bos in.

Geschrokken holt Max achter haar aan.

Marnix blijft nog even staan luisteren, dan volgt hij hen haastig. Pluto lijkt ook te begrijpen dat er iets aan de hand is, want hij draaft braaf met hem mee.

'Daar kunnen we ons verstoppen!' roept Max opeens. Hij wijst naar de houtstapel links van het pad.

Een ogenblik later zitten ze veilig achter de berg hout.

Voorzichtig gluurt Marnix over de boomstammen in de richting van de T-kruising en luistert naar het vreemde donkere gebrom dat steeds dichterbij lijkt te komen. Maar voordat hij de richting ervan kan bepalen, sterft het geluid alweer weg.

'Ze zijn doorgereden,' zegt Myrthe opgelucht.

Marnix schudt zijn hoofd. 'Dat waren die mensen

van de moestuin niet,' zegt hij. 'Het was ook geen autogeluid. Misschien was het een tractor van de houthakkers hier in het bos.'

Myrthe trekt haar wenkbrauwen op. 'Op zondag?' Ze laat zich op het dikke mostapijt zakken dat achter de houtstapel ligt. 'Jemig, ik ben me rot geschrokken,' verzucht ze. 'Mijn hart bonst nog steeds in mijn keel.' Marnix voelt zich alleen maar leeg. Even had hij de stille hoop dat het pap was... Plotseling houdt hij zijn adem in. Misschien zit hij gewoon bij de tent op hen te wachten! Ze zijn al vanaf vanmorgen op pad en nu is het - hij kijkt even op zijn horloge - bij half drie. In die tussentijd kan zijn vader makkelijk terug zijn gekomen.

Opeens krijgt Marnix haast. 'Zullen we verdergaan?' stelt hij voor.

'Nu al?' vraagt Max. 'Ik ben moe.'

'Je kunt straks uitrusten,' zegt Marnix wat kortaf. 'Nu wil ik terug naar de tent.'

'Waarom?'

'Daarom.' Hij wil ze niet blij maken met iets wat misschien toch niet zo blijkt te zijn.

Ze zijn nog maar net een paar minuten op weg als ze in de verte hetzelfde geluid als daarnet horen. Maar deze keer komt het snel dichterbij.

'Waar moeten we ons nu weer verstoppen,' roept Myrthe paniekerig.

Marnix gebaart dat ze stil moet zijn. Hij luistert. 'Dat hoeft niet,' zegt hij even later. 'Dit is geen auto.'

Het vreemde kloppende gedreun wordt steeds luider. Alle drie kijken ze omhoog.

'Het is een helikopter!' roept Marnix. 'Misschien...' Zijn stem gaat verloren in het oorverdovende lawaai als het toestel laag over de boomtoppen boven hun hoofd scheert. Het volgende ogenblik is hij voorbij. 'Zagen jullie dat?' vraagt hij als het geluid is verstomd. 'Het was een politiehelikopter.'

'D...dat betekent d...dat die mensen van die moestuin de politie hebben gebeld,' stamelt Myrthe, 'en nu zijn ze naar ons op zoek.'

Marnix kijkt haar verschrikt aan. Dan schudt hij zijn hoofd. 'Dat kan niet,' zegt hij. 'Ze zijn nog niet eens een uur thuis en dan zouden ze de politie al hebben gebeld? Trouwens voor een paar wortels en tomaten gaat de politie heus niet met een helikopter op zoek naar de dieven. Dat ding kwam hier gewoon toevallig over.'

9. Vuile afzetter!

Met een bonzend hart wordt Marnix wakker. Flarden van een afschuwelijke droom trekken zich haastig terug naar een verre uithoek in zijn hoofd. Het ging over zijn vader, herinnert hij zich vaag. Er was iets met hem gebeurd, maar hij wist niet meer wat. Hij schudt het nare gevoel dat de droom achterlaat van zich af. 'Dromen zijn bedrog, maar als je in je bed plast, vind je het morgen nog,' zegt mam altijd.

Mam... Vandaag moet hij haar hoe dan ook aan de lijn zien te krijgen. Misschien weet zij waar pap is. En anders moeten ze maar naar de politie. Alleen die moestuin zit hem niet lekker. De tomaten en de wortels zijn weliswaar bijna op, maar toch... Stel je voor dat die mensen wél de politie hebben gebeld... Die helikopter vloog daar toch niet zomaar?

Plotseling valt hem een gedachte in: als zijn vader inderdaad de weg niet terug heeft kunnen vinden, is hij misschien naar de politie gegaan. Vloog die helikopter daarom soms over? Zijn ze naar hen op zoek? Het betekent tegelijk dat er niets met pap aan de hand is.

Het is of alle spanning opeens van hem afglijdt. Met gesloten ogen blijft hij liggen. Het liefst zou hij nog even willen slapen, maar hij voelt dat hij moet plassen. Zo stil mogelijk kruipt hij uit zijn slaapzak en doet de rits van de slaaptent open. Hoewel het nog niet helemaal licht is, ziet hij meteen dat Pluto niet meer op zijn plekje ligt. De slaapplaats van droog gras en dennentakken die Max gisteravond in de voortent voor hem heeft gemaakt is verlaten. Waar zou de hond zijn? Zou hij honger hebben gehad en was hij eten gaan zoeken? Twee worteltjes en een appel is natuurlijk nooit genoeg voor zo'n grote hond.

Plotseling hoort Marnix een diepe zucht achter zich. Het komt uit het slaapgedeelte van zijn vader. De rits staat halfopen. 'Pap?' fluistert hij. Met ingehouden adem duwt hij het tentdoek opzij. Vanuit het halfduister kijken twee hondenogen hem lodderig aan.

Marnix moet ondanks zijn teleurstelling lachen. 'Welja,' zegt hij, 'dat doet maar.'

Alleen Pluto's staart zwiept even; maar hij blijft languit op paps slaapzak liggen.

'Pluto had het koud vannacht,' komt Max' stem opeens vanuit het andere slaapgedeelte.

Marnix weet even niet wat hij moet zeggen. 'Dus jij hebt de rits opengedaan?'

Er klinkt een kort lachje. 'Ja, pap is er toch niet.'

Een uurtje later zijn ze alle drie aangekleed en klaar om te vertrekken.

'We hebben nog drie appels voor onderweg,' zegt

Marnix. Hij geeft er een aan Max die hem in zijn zak stopt.

'Ik hoef geen appel,' zegt Myrthe. 'Geef hem maar aan Pluto.'

'Ben je gek? Hier pak aan.' Marnix houdt zijn zusje de appel voor, maar ze schudt narrig haar hoofd. 'Het kan nog wel even duren voordat we een winkel vinden,' dringt hij aan.

Myrthe houdt haar handen achter haar rug. 'Ik hoef geen appel; er zitten oorwurmen in.'

Marnix zucht. 'Ik snij hem straks wel voor je doormidden en dan haal ik die beesten eruit. Stop hem nou maar zolang in je zak.'

Myrthe doet een paar stappen achteruit. 'Ik hoef geen appel waar oorwurmen aan hebben zitten knagen en ik doe hem zeker niet in mijn zak. Als ze eruit kruipen...'

'Jemig, wat heb jij een kapsones,' barst Marnix opeens uit.

'Kapsones...?' schreeuwt Myrthe.

Aan haar stem hoort Marnix dat ze niet weet wat hij bedoelt. 'Ja, alles wat ik zeg is verkeerd. Je doet gewoon moeilijk. Je zeurt net zolang totdat ik... Ach, wat praat ik nog; hier heb je je appel.' Hij gooit hem haar toe, maar ze maakt geen aanstalten om hem te vangen. Voor haar voeten stuitert hij op de grond. 'Je bekijkt maar wat je ermee doet.' Met een ruk draait hij zich om en loopt weg.

'Zo ben je net als papa,' hoort hij Myrthe opeens gillen. 'Die zit de laatste tijd ook altijd op me te vitten.'

Opeens ziet Marnix de appel voorbijvliegen, meteen gevolgd door Pluto. Nog voordat hij de grond raakt, heeft de hond hem al te pakken. Terwijl hij hem naar binnen schrokt, hoort Marnix een gedempt gesnik achter zich.

Als hij omkijkt, ziet hij Myrthe op de grond zitten. Ze heeft haar armen om haar knieën geslagen en haar hoofd erin verborgen. Haar schouders schokken. Met een zucht loopt hij terug. 'Huil nou maar niet,' zegt hij. 'Ik had niet zo rot tegen je moeten doen. We zijn allemaal gewoon nogal gespannen.' Hij slaat een arm om zijn zusje heen, die ze narrig afschudt.

'Wees nou maar niet ongerust,' gaat hij verder. 'Hij heeft waarschijnlijk gewoon deze plek niet meer terug kunnen vinden. Wie weet hoe uitgestrekt dit bos is. Vanmorgen bedacht ik opeens dat die helikopter een teken is dat hij de hulp van de politie heeft ingeroepen. Er is vast een hele zoekactie naar ons op touw gezet.'

'Geloof je het zelf?' Myrthe probeert haar tranen te drogen, maar ze blijven komen. 'Dan hadden ze ons toch allang gevonden? Papa is al sinds zaterdagochtend weg en nu is het maandag. Waarom moest hij ook alleen weggaan? Straks heeft hij een ongeluk gehad en ligt hij in een...'

'Stil nou maar.' Marnix werpt een snelle blik op Max. 'Pap heeft nog nooit een aanrijding gemaakt.'

Myrthe haalt moedeloos haar schouders op.

Opeens komt Pluto naar haar toe en geeft haar een likje over haar hand.

Myrthe glimlacht door haar tranen heen. 'Zag je

dat?' zegt ze, 'hij troostte me.'

Marnix geeft Pluto een klopje op zijn rug. 'Kom, laten we gaan,' zegt hij. 'Hoe eerder we in de bewoonde wereld zijn, hoe eerder ik mam kan bellen. En als dat niet lukt, gaan we naar de politie.'

Als ze in de buurt van de T-kruising komen, loopt Marnix even vooruit om te kijken of de kust veilig is. Hij wil de mensen van de moestuin liever niet wéér tegenkomen. Maar de weg ligt er verlaten bij. Hij wenkt de anderen.

Met Pluto voorop, zetten ze er meteen stevig de pas in. De weg daalt gestaag, waardoor ze lekker opschieten.

'Daar heb je de braamstruik al,' zegt Max even later.

'Ik zag er gisteren nog een paar,' zegt Myrthe.

'Daar hebben we nu geen tijd voor,' zegt Marnix kortaf.

'Ja, maar ik heb zo'n droge mond.'

Er ligt een scherpe opmerking op zijn lippen, maar hij slikt hem in. 'Als je dan maar opschiet,' zegt hij.

Myrthe rent erheen en begint gauw te plukken. 'Het is maar een handjevol,' zegt ze teleurgesteld. 'Wil jij er een paar?'

'Nee, eet ze zelf maar op.'

Terwijl ze verder lopen stopt Myrthe zo nu en dan een braam in Max' mond. Marnix voelt zijn irritatie langzaam wegzakken. Tegelijk neemt zijn dorst toe. Waar blijft dat dorp? Zover kan het toch niet meer zijn? Bij iedere bocht hoopt hij het te zien liggen. Het bos hebben ze al een poosje achter zich gelaten en heeft plaatsgemaakt voor weilanden en velden. Daartussen lijkt de weg zich eindeloos voort te slingeren.

Opeens, na een scherpe bocht, zien ze beneden zich een dorp liggen. Onwillekeurig versnellen ze hun tempo en een kwartiertje later komen ze bij de eerste huizen aan.

'Ik hoop dat hier ergens een supermarkt is,' zegt Myrthe.

'In zo'n klein dorp?' Marnix schudt zijn hoofd. 'Je mag blij zijn als er een bakker is.'

'Ik hoef geen brood; als ik maar iets te drinken krijg.' Het klagende toontje in Myrthes stem irriteert Marnix weer, daarom zegt hij maar niets. Zoekend kijkt hij om zich heen, maar er is niemand waaraan hij iets kan vragen.

'Waar is Pluto gebleven?' roept Max opeens ongerust. 'Daarnet liep hij nog voor ons uit.' Hij begint te rennen. Opeens staat hij stil en loopt naar de kant van de weg. 'Hier is hij!' roept hij.

Even later hangen ze alle drie over een brugleuning. Onder hen door stroomt een beekje. Met zijn poten in het water staat Pluto te drinken.

'Ik heb ook zo'n dorst,' klaagt Max. 'Kan ik hier niet even naar beneden klimmen om...'

Marnix houdt hem tegen. 'Hier blijven,' zegt hij. 'Het is daar veel te steil. Bovendien kan je dat water niet drinken.'

'Toch ziet het er heel schoon uit,' zegt Myrthe.

'Dat kan wel zijn, maar je weet nooit. Misschien heeft er een koe in gepoept of...' Abrupt houdt Marnix zijn mond. Pluto is door zijn achterpoten gezakt en het volgende moment drijft er een drol met de stroom mee.

'Jasses, viespeuk,' roept Myrthe.

Verbaasd kijkt Pluto omhoog. Hij drinkt nog even wat en komt dan met een paar sprongen terug op de weg. Op hetzelfde moment komt er een auto voorbij, die hem op een haar na mist.

Geschrokken rent Marnix naar Pluto toe en trekt hem naar de kant. 'Dat scheelde niet veel,' zegt hij.

'We moeten een riem voor hem kopen,' zegt Max.

Marnix schudt zijn hoofd. 'Daar hebben we geen geld voor. Maar je kunt het koord uit mijn jack wel gebruiken.' Hij trekt het eruit en knoopt het aan Pluto's halsband vast. Aan de andere kant maakt hij een lus.

'Mag ik hem vasthouden?' vraagt Max.

Marnix knikt. Hij glimlacht als hij ziet hoe zijn broertje even later trots met de hond voor hem uitloopt.

Opeens ziet hij links tussen de huizen door de spits van een kerktoren. Hij wijst ernaar. 'Ik denk dat daar ergens het centrum is,' zegt hij.

Bij een kruising met een brede weg slaan ze linksaf. Een paar minuten later komen ze op een pleintje waar een paar winkels aan liggen. Ze blijken allemaal gesloten te zijn, alleen een café is open.

'Gaan we daar wat drinken?' vraagt Max.

'Misschien, als het niet te duur is,' antwoordt Marnix. 'Maar ik wilde eerst vragen of we mogen bellen.'

Met Marnix voorop gaan ze naar binnen. Ze worden achterdochtig opgenomen door een paar oude mannen die aan het tafeltje bij het raam zitten. Voor hen staan een paar halfvolle glazen bier en uit een asbak kringelt rook op. Achter de bar staat een man met een snor en een hangbuik. Hij wijst met een bars gezicht naar de hond en zegt iets dat ze niet verstaan.

'Ik ga wel met Pluto naar buiten,' zegt Max bedremmeld.

Marnix knikt. Hij wacht tot de deur achter zijn broertje dichtvalt en loopt dan naar de bar. 'Zou ik misschien even mogen opbellen?' vraagt hij zo beleefd mogelijk.

De man fronst.

'Opbellen,' herhaalt Marnix en hij maakt het bekende gebaar met een duim en een pink bij zijn oor.

De man wijst op een deur achter in het café. Er staat een afbeelding op van een telefoon.

Marnix wenkt Myrthe dat ze mee moet komen.

'Wat stinkt het hier,' fluistert ze.

'Sst,' sist hij.

Ze passen net met z'n tweeën in het smoezelige hokje. Tegen de wand hangt een ouderwets telefoontoestel. Na wat zoeken vindt Marnix een gleuf waar munten in kunnen worden gegooid. Hij haalt zijn portemonnee tevoorschijn en pakt er een euro uit.

Opeens kijkt hij Myrthe verschrikt aan. 'Mama is op haar werk en ik weet haar doorkiesnummer niet. Hij stond in mijn gsm en die is kapot.'

‘Dan bel je haar toch op haar mobiel?’

‘Dat nummer weet ik ook niet.’

‘Ik wel,’ zegt Myrthe triomfantelijk. ‘06 en dan mijn leeftijd, dan ons huisnummer, gevolgd door mijn geboortejaar.’

Marnix mond valt open. ‘Hoe kom je daarbij?’

‘Iemand van de tennisclub wilde mama spreken en toen heb ik haar mobiele nummer doorgegeven en toen zag ik dat het makkelijk te onthouden was.’

Marnix schudt verbluft zijn hoofd. Opeens grijnst hij. ‘Volgend jaar klopt het alleen niet meer, want dan ben je elf.’

‘Dan is het mijn leeftijd min één.’

Marnix zegt niets meer. Hij pakt de hoorn van de haak en laat de euro in de gleuf vallen. Als hij het nummer heeft ingetoetst is het een hele tijd stil. Dan klinkt er opeens een vrouwenstem.

‘Mam!’ roept hij, maar meteen hoort hij dat het iemand anders is. De vrouw spreekt dezelfde taal als de man achter de bar. Teleurgesteld wil Marnix zeggen dat hij haar niet verstaat, als hij begrijpt dat het een bandje is. Een ogenblik later klinkt er een klik en dan een soort ingesprektoon. ‘Ik krijg geen verbinding,’ moppert hij.

‘Probeer het nog eens,’ zegt Myrthe.

Marnix legt de hoorn op de haak. Met een scherp getinkel valt zijn euro terug in een bakje. Opnieuw doet hij de munt in de gleuf en opnieuw toetst hij mams nummer in, maar er gebeurt precies hetzelfde. ‘Dat rotding werkt niet,’ zegt hij nijdig. Hij gooit de hoorn op de haak en wacht tot de euro weer in het bakje valt, maar dat gebeurt niet. Ook als hij een paar harde klappen op het toestel geeft, komt zijn geld niet terug. 'Nou ja,' foetert hij. 'Ik heb niet eens gebeld en toch...'

Op dat moment wordt de deur van het hokje opengerukt en het boze gezicht van de man achter de bar kijkt hen aan. Hij zegt iets op een barse toon tegen hem.

Marnix is even sprakeloos, dan zegt hij verontwaardigd: 'Mijn geld komt niet terug en ik heb niet eens gebeld.'

Opnieuw snauwt de man iets tegen hem.

'Man, ik versta er geen barst van,' zegt Marnix nijdig.

Even kijkt de man hem verbluft aan, dan wijst zijn vinger opeens priemend naar de deur van het café.

'U denkt toch niet dat ik wegga?' roept Marnix. 'Eerst wil ik mijn geld terug!' Hij geeft opnieuw een klap tegen het telefoontoestel.

Op dat moment wordt hij ruw bij zijn arm gepakt en het telefoonhokje uitgetrokken. Achter zich hoort hij Myrthe protesteren.

Voordat ze er erg in hebben staan ze buiten en slaat de deur van het café rammelend achter hen dicht.

Machteloos kijkt Marnix naar de gesloten deur. 'Vuile afzetter!' schreeuwt hij opeens, maar de deur gaat niet meer open.

'Wat is er gebeurd?' vraagt Max verschrikt.

'Dat telefoontoestel gaf mijn geld niet terug en toen ik er een klap tegen gaf, zette die vent ons het café uit,' zegt Marnix nijdig.

'Maar heb je mama aan de lijn gehad?'

'Nee, dat toestel werkte niet eens. Kom, we gaan het wel ergens anders proberen.' Marnix loopt door, maar Max blijft staan.

'Ik dacht dat we wat gingen drinken,' zegt hij.

Marnix draait zich om. 'Bij die vuile afzetter?' briest hij. 'Nooit!'

Max kijkt hem beduusd aan. 'Maar ik heb zo'n dorst,' zegt hij.

'Dat hebben Myrthe en ik ook,' zegt Marnix kortaf. 'Je moet nog maar even geduld hebben.'

Opeens ziet hij aan de andere kant van het plein een vrouw lopen. Hij rent erheen en vraagt: 'Mevrouw, weet u ook of hier ergens een supermarkt is?'

Ze kijkt hem niet begrijpend aan.

'Een supermarkt,' herhaalt hij.

'Ah, une supermarché,' zegt ze. Ze wijst naar de straat achter zich en gebaart dat hij die moet volgen, aldoor rechtuit.

Marnix bedankt haar maar in het Nederlands. Hij wenkt Max en Myrthe. 'Er is hier even verderop een supermarkt,' roept hij.

Een stuk opgewekter dan daarnet gaan ze op weg, maar het is verder dan ze dachten. Ze zijn al bijna een kwartier onderweg en ze hebben nog geen winkel gezien, zelfs niet iets wat erop lijkt.

'We zijn er toch niet per ongeluk voorbijgelopen?' vraagt Myrthe.

Marnix schudt zijn hoofd.

'Ja, maar volgens mij gaan we zo het dorp uit.'

'Dat lijkt er wel op, ja, maar weet je nog die camping in Frankrijk? Daar lag de supermarkt ook een heel eind buiten het dorp. Dus misschien moeten we nog verder door.'

Moedeloos slepen ze zich voort. Zelfs Pluto laat zijn kop hangen. Maar net als ze de moed beginnen op te geven, verschijnt er om een bocht in de weg een groot gebouw.

'Daar zal je de supermarkt hebben,' zegt Marnix opgelucht.

Ze versnellen hun pas, maar als ze dichterbij komen zien ze dat het een restaurant is.

Max begint te huilen. 'Ik ben zo moe,' snikt hij, 'en ik heb zo'n dorst.'

'Stil maar,' zegt Myrthe, 'we gaan hier wel wat drinken.'

Marnix gaat er maar niet tegenin, want ook hij snakt naar een glas cola.

Aan de zijkant van het gebouw is een verhoogd terras, waar tafeltjes en stoeltjes onder witte parasols staan. Het is er niet druk. Als ze via de stenen trap het terras opkomen, wordt er wat afkeurend naar hen gekeken. Ze zien er niet uit, weet Marnix. Hun kleren zijn gekreukt en hun schoenen zitten onder de modder. Een beetje beschaamd zoekt hij een tafeltje zo ver mogelijk bij de andere gasten vandaan.

Pluto ploft meteen onder de tafel neer en zelf is Marnix ook blij dat hij kan gaan zitten. Als hij de menukaart naar zich toe trekt, schrikt hij van de prijzen, maar aan de achterkant van de kaart zijn ze lager. Zijn oog valt op het woordje cola. €1,95 staat erachter. Zou dat voor één flesje zijn? Als ze er drie bestellen is hij zowat in één klap door al zijn geld heen.

Op dat moment komt er een ober het terras op. Als hij bij hun tafeltje is, neemt hij hen misprijzend op, dan groet hij stroef. Afwachtend kijkt hij naar Marnix, zijn opschrijfboekje in de aanslag.

'Ikke... ik wou... doet u maar één cola,' weet hij er ten slotte uit te brengen.

'Cola?' herhaalt de ober.

Marnix knikt. 'Eén cola,' herhaalt hij en om duidelijk te maken dat hij er echt maar één wil steekt hij zijn wijsvinger op. 'En een bak water voor de hond.' Hij wijst op Pluto die met zijn tong uit zijn bek ligt te hijgen.

De ober trekt zijn wenkbrauwen op en verdwijnt dan met stijve passen.

'Wat hebben we nou aan één cola?' fluistert Myrthe.

'Als we er drie nemen kunnen we geen eten meer kopen,' fluistert Marnix terug. 'Maar er is hier vast wel een toilet met een wastafel erbij. Daar kunnen we drinken zoveel als we willen.'

Max laat zich van zijn stoel glijden. 'Laten we dat eerst maar gaan doen,' zegt hij. 'De cola is er toch nog niet.'

Marnix gluurt even naar de andere gasten, die gelukkig niet meer op hen letten. 'Ga zitten,' sist hij. 'Het staat zo raar als je meteen naar de wc rent.'

Het duurt lang voordat de ober terugkomt. Net als Marnix wil gaan kijken waar hij blijft, gaat de deur naar het terras open en komt hij tevoorschijn. Hij heeft een groot dienblad in zijn hand waarop een plastic emmertje staat met ernaast één flesje cola met drie rietjes. Met een uitgestreken gezicht zet hij het flesje cola midden op tafel. Daarna zet hij het water voor Pluto op de grond die meteen begint te drinken.

Marnix krijgt er dorst van. Verlangend kijkt hij naar de cola, maar de ober blijft staan. Dan pas ziet hij dat de man zijn hand ophoudt. Zou er hier gelijk betaald moeten worden? Met een rood hoofd pakt Marnix zijn portemonnee, haalt er twee euro uit en legt de twee munten in de uitgestoken hand. De ober laat ze in een tasje glijden dat hij om zijn middel draagt en sluit het met een klikje. Een ogenblik is Marnix te verbluft om te reageren, dan wordt hij kwaad. Waar blijft zijn wisselgeld? Met een resoluut gebaar houdt hij op dezelfde manier zijn hand op. Even aarzelt de ober, dan opent hij zijn tas weer en vist er een muntje uit. Met een scherpe tik legt hij het op de tafel, draait zich op zijn hakken om en loopt weg.

'Huh,' zegt Marnix, 'wou die vent me ook nog eens vijf cent door de neus boren, alsof het hier niet duur genoeg is.'

Max lacht. 'Mogen we nu drinken?' vraagt hij.

Marnix knikt. 'Ga jij maar eerst. Maar niet verder dan tot hier.' Hij wijst de plek met zijn vinger aan. Dan mag Myrthe en ten slotte drinkt hij zelf de rest op.

'En nu kijken waar de wc is,' zegt Max. 'Ik barst

nog steeds van de dorst.'

'Ga jij maar eerst, dan blijven wij zolang bij Pluto,' zegt Marnix.

Max is al weg.

'Was gelijk even je handen en je gezicht,' roept Myrthe hem na.

'Waarom?'

'Ze zijn vies.'

Max staat even weifelend stil. Dan zegt hij vinnig: 'Je bent mijn moeder niet!' Maar als hij terugkomt, ziet hij er toch een stuk schoner uit. 'Heerlijk,' fluistert hij met een schuin oogje op de andere gasten, 'poepen op een echte wc.'

Ze schateren het alle drie uit.

Omdat Myrthe als laatste wil, gaat Marnix maar. Hij heeft het herentoilet algauw gevonden. Er zijn vier wc's waarvan de deuren openstaan. Hij neemt de laatste. Als hij de wc weer uit komt, schrikt hij van zijn eigen spiegelbeeld. Hij ziet er niet uit. Er zitten vieze vegen op zijn gezicht en zijn handen zien er niet veel beter uit. Maar eerst moet hij drinken. Hij buigt zich over de wastafel en laat het water genietend naar binnen lopen. Dan begint hij zich haastig te wassen. Ook zijn haar neemt hij meteen maar even mee. Als hij klaar is, is de zeepdispenser leeg en zijn de papieren handdoekjes op. Een kam heeft hij niet bij zich, daarom haalt hij zijn vingers maar door zijn haar. Tevreden kijkt hij in de spiegel naar het resultaat.

Opeens herinnert hij zich dat hij mam zou bellen. Na nog een korte blik in de spiegel loopt hij het restaurant in. Als hij ziet dat de ober die achter de bar staat dezelfde is als die hen bediende, zakt de moed hem in de schoenen. Toch vraagt hij of hij kan opbellen. Maar de man schudt zijn hoofd. 'Telefoon kapoet,' zegt hij alleen.

'Wat een rotsmoes,' mompelt Marnix nijdig. Hij wijst nog eens op het toestel dat duidelijk zichtbaar achter de bar staat, maar de man houdt voet bij stuk. Hij mag niet bellen. Er liggen een paar scheldwoorden op zijn lippen, maar hij slikt ze in omdat er gasten binnenkomen.

Als hij terugkomt bij hun tafeltje, springt Pluto enthousiast tegen hem op. Zijn boosheid zakt meteen. 'Waar is Myrthe?' vraagt hij aan Max.

'Die is naar de wc. Ze moest heel nodig.'

Marnix knikt. Hij vertelt Max maar niet dat hij niet mocht bellen. Hij zit nog maar net of Myrthe komt er alweer aan.

'Ik weet waar die supermarkt is,' zegt ze opgetogen. 'Ik heb het aan een mevrouw gevraagd die de wc's schoonmaakte. Het is maar tien minuten hiervandaan.'

'Kon je haar dan verstaan?' vraagt Marnix.

'Nee, maar ze wees op haar horloge en stak tien vingers op.'

10. Engelse drop, roze koeken en hondenvoer

Het klopt precies. Nog geen kwartier later staan ze voor de supermarkt.

'Wat doen we met Pluto?' vraagt Myrthe.

Marnix kijkt in het rond. 'Bind hem maar aan dat fietsenrek vast.' Hij wijst.

Max gaat voor Pluto staan. 'We kunnen hem hier toch niet alleen laten?'

'Het zal wel moeten,' zegt Marnix. 'Bij ons mogen honden ook niet de winkel in en hier zal het wel niet veel anders zijn.'

'Als jij nu bij hem blijft,' zegt Myrthe, 'dan doen wij de boodschappen wel.'

'Mooi niet,' roept Max. 'En jij zeker dingen kopen die jij alleen lekker vindt.'

Ze kibbelen nog een poosje, maar het draait erop uit dat Pluto toch alleen buiten blijft. Als ze de supermarkt binnengaan, kijkt hij hen een beetje verontrust na.

Myrthe pakt meteen een karretje.

'Dat hebben we niet nodig,' zegt Marnix. 'Een

mandje is meer dan voldoende.'

'Maar daar kan bijna niks in,' zegt Max.

'Klopt, we hebben ook maar heel weinig geld.' Marnix pakt zijn portemonnee en begint te tellen. 'Er is nog precies vier euro en vijfendertig cent over,' stelt hij vast.

'Dat is niet veel,' zegt Myrthe. 'Wat wilde je daarvan kopen?'

'Brood, en als het even kan iets erop.'

'En drinken,' voegt Myrthe eraan toe.

'En eten voor de hond,' zegt Max.

'Daar hebben we niet genoeg geld voor,' zegt Marnix.

'Maar Pluto moet toch ook eten?'

Marnix zucht. 'We zien wel,' zegt hij.

Ze nemen toch maar een karretje en lopen meteen door naar de broodafdeling. Op een aantal broden zit een rood stickertje.

'Die zijn in de aanbieding,' zegt Myrthe. 'Kijk maar, ze zijn een stuk goedkoper dan die daar.' Ze legt een wit brood in het karretje.

'We kunnen beter bruin brood nemen,' zegt Marnix, 'dat vult meer.'

'Ja, maar wit brood is lekkerder,' protesteert Myrthe.

'Ik vind bruin brood veel lekkerder,' komt Max ertussen.

'Dat is dus twee tegen één,' zegt Marnix. Hij ruilt het brood om. Myrthe zegt niets meer, maar haar gezicht staat op onweer.

Als ze bij het broodbeleg komen zijn ze het alweer niet eens. Max wil jam, Myrthe wil chocoladehagelslag en Marnix heeft liever pindakaas. Hij heeft het potje al in het karretje gezet, als Myrthe opeens tegen hem uitvalt. 'Jij bepaalt niet alleen wat we eten!' zegt ze nijdig.

'Dat bepaal ik wel,' zegt hij bits, 'want het is mijn zakgeld.'

Myrthe zegt niets meer en met samengeknepen lippen loopt ze verder.

Ook de keuze van drinken geeft problemen. Ze komen er algauw achter dat frisdrank en melk te duur zijn, tenminste als ze twee liter willen hebben. Het enige dat ze kunnen betalen is mineraalwater.

Om nog meer problemen te vermijden probeert Marnix zijn broertje en zusje ongemerkt voorbij het gangpad met snoep en koek te loodsen, maar Max heeft het al gezien.

Hij rent naar links en blijft verlekkerd voor de zakken met drop staan. 'Kunnen we niet één klein zakje meenemen, Marnix?' Smekend kijkt hij hem aan.

Marnix buigt zich over de boodschappen in het karretje en telt alle prijzen nog eens bij elkaar op.

'O, kijk eens!' hoort hij Myrthe roepen. Een ogenblik later wordt er een krakend pakje onder zijn neus gehouden. 'Roze koeken, die zijn echt heerlijk.'

'Nou ben ik de tel weer kwijt,' moppert Marnix en hij begint opnieuw. 'We kunnen niets meer kopen,' zegt hij ten slotte. 'Als we dit moeten betalen houden we nog precies tien cent over. Dus leg het maar terug.'

'En Pluto dan?' vraagt Max.

'Die krijgt wel een paar boterhammen.'

Max zegt niets meer.

Als ze bij de kassa zijn, legt Marnix samen met Myrthe de boodschappen op de band. De kassajuffrouw houdt ze een voor een voor de scanner die telkens een piepje geeft. Op het schermpje boven de kassa wordt het bedrag hoger en hoger. Marnix houdt zijn adem in, maar als de laatste boodschap is gescand, klopt het eindbedrag met wat hij had berekend. Ze houden precies tien eurocent over. Opgelucht doet hij zijn rugzak af en begint de boodschappen erin te stoppen. 'Waar is Max eigenlijk?' vraagt hij aan Myrthe.

'Daar komt hij aan.' Ze knikt met haar hoofd in de richting van een van de gangpaden, waar Max juist met een verhit hoofd de hoek om komt.

'Zijn jullie eindelijk klaar?' vraagt hij. 'Pluto staat al een hele tijd alleen.'

'Wees nu maar rustig,' zegt Marnix. 'Hij wacht heus wel op ons.' Net stopt hij de laatste boodschappen in zijn rugzak, als er een man met een streng gezicht vanachter uit de winkel op hen toe komt gelopen. Terwijl hij op een barse toon tegen hen begint te spreken, legt hij een hand op de schouder van Max. Op hetzelfde moment duikt die naar beneden en probeert weg te rennen. Maar daar had de man blijkbaar op gerekend, want hij heeft Max stevig vast bij de kraag van zijn jack.

'Wat moet u van mijn broertje!' roept Marnix boos.

De man geeft geen antwoord, maar gebaart dat ze

mee moeten komen. Om zijn woorden kracht bij te zetten, pakt hij Max bij zijn arm en probeert hem met zich mee te trekken, terug langs de kassa.

Max stribbelt heftig tegen. 'Lamelos,' schreeuwt hij half in tranen.

'Blijf van mijn broertje af,' roept Myrthe nu ook kwaad. Ze pakt Max bij zijn andere arm en begint ook te trekken.

Op dat moment valt er met een klap een blik onder de band van Max' jack vandaan. Een grote zak Engelse drop en een zak roze koeken volgen.

Opeens begrijpt Marnix het. 'Wat heb je nou gedaan!' roept hij ontzet.

Max begint te huilen. 'Pluto moet toch ook eten?' snikt hij, 'en ik had zo'n trek in Engelse drop en...'

'Maar dan mag je die dingen toch niet zomaar meenemen?' valt Marnix hem in de rede. 'Dat is stelen.'

Max begint nog harder te huilen.

Hulpzoekend kijkt Marnix naar Myrthe. 'Wat moeten we nou?' vraagt hij. 'Ik heb geen geld meer om die spullen te betalen.'

'Laat mij maar even.' Myrthe bukt zich, raapt het blik en de twee zakken op en legt ze voor de man op de band bij de kassa. 'Hier heeft u uw spullen terug,' zegt ze, 'en laat Max nou maar los.'

Maar dat is de man niet van plan. Hij houdt Max stevig bij zijn arm, terwijl hij de kassajuffrouw erbij roept. Die pakt Myrthe hardhandig vast en trekt haar van Max af. Terwijl Myrthe worstelt om los te komen, sleurt de man de brullende Max met zich mee.

Marnix weet even niet wat hij moet doen, dan grijpt hij zijn rugzak en haast hij zich achter zijn broertje aan. De man verdwijnt met Max door een deur achter in de winkel. Marnix volgt hen naar binnen en niet lang daarna komt Myrthe ook. Achter in een soort kantoortje moeten ze aan een tafel gaan zitten.

Terwijl de man een telefoon uit zijn zak haalt en een nummer intoetst, komt de kassajuffrouw binnen en zet de gestolen spullen met een klap op tafel. Met een minachtende blik in hun richting verdwijnt ze weer. Blijkbaar wordt er aan de andere kant van de lijn opgenomen, want de man begint opeens te praten.

Marnix doet zijn best om te begrijpen wat hij zegt. Het heeft wel wat weg van Duits, maar toch is het anders. Tot zijn ontzetting hoort hij opeens een woord dat lijkt op politie. 'Nee!' roept hij. 'Niet de politie! Max is nog maar net zes.' Hij maakt een machteloos gebaar. Hoe legt hij die man uit dat ze hun vader kwijt zijn, dat ze al twee dagen niet behoorlijk hebben gegeten en dat ze nauwelijks geld bij zich hebben?

Een ogenblik later klapt de man zijn mobieltje dicht. Zonder nog iets te zeggen loopt hij het kantoortje uit en doet de deur achter zich dicht. Een ogenblik later klinkt het geluid van een sleutel die wordt omgedraaid.

'Hij sluit ons gewoon op!' roept Myrthe verontwaardigd.

Max begint weer te huilen. 'Ik wil naar huis,' jammert hij. 'Ik wil... Pluto!' roept hij opeens. 'Pluto zit nog alleen buiten!' Hij springt op en begint als een dolle tegen de deur te schoppen en te bonzen.

Marnix haast zich naar zijn broertje toe en trekt hem weg. 'Hou op!' roept hij. 'We hebben al genoeg narigheid.' Snikkend laat Max zich op een stoel zetten.

Een hele poos zeggen ze niets. Marnix luistert naar de geluiden vanuit de winkel. Eén keer hoort hij een kort gerinkel van flessen, maar behalve het zachte gesnik van Max is het daarna weer stil. In gedachten kijkt hij naar de gestolen spullen die voor hem op de tafel liggen. De punt van de zak Engelse drop wijst als een beschuldigende vinger in zijn richting. Haastig wendt hij zijn blik af. Zijn ogen gaan door het ongezellige kantoortje. Het weinige licht dat er is, komt binnen door een klein raam met gewapend glas. Het zit boven een aanrecht van iets dat een keukentje moet voorstellen. Tegen de wand links van hem staat een ijzeren stellingkast met op de planken stapels papieren. Ernaast hangt scheef een ingelijste poster. Het is een foto van een meisje met een glas cola in haar hand. Marnix krijgt er dorst van. Hij tuurt naar de koelkast naast het aanrecht. Zou daar misschien drinken in staan? Even heeft hij de aanvechting om te gaan kijken, maar hij durft niet.

'Hoe lang zou het duren voordat de politie er is?' vraagt Myrthe bedrukt.

'Geen idee,' antwoordt Marnix. 'Het hangt ervan af waar ze vandaan moeten komen.'

'Wat gaan ze met ons doen, denk je?'

Marnix haalt zijn schouders op. 'Ik neem aan dat ze

ons niet zomaar zullen laten gaan. We zullen wel mee moeten naar het bureau.'

'En Pluto dan?' roept Max paniekerig.

'Die mag heus wel mee.' Maar de hond is niet Marnix' grootste zorg. Wat staat hen te wachten als ze op het bureau komen? Ze zullen wel worden verhoord. Hij hoopt dat er daar iemand is die Nederlands spreekt, of anders Engels. Dat heeft hij op school gehad, maar of hij ook in het Engels duidelijk kan maken dat hij naar huis wil bellen? *Phone home*, schiet hem opeens te binnen. Dat herinnert hij zich nog uit de film E.T. Maar hoe moet hij vertellen dat ze hun vader kwijt zijn? Hoe zeg je dat in het Engels? *My father is*... eh...

'Zouden ze ons op het politiebureau ook opsluiten?' onderbreekt Myrthe zijn gedachten.

'Ik denk het niet,' zegt Marnix. 'Kinderen stoppen ze niet zomaar in een cel.'

Opeens herinnert hij zich iets dat hij eens op de televisie heeft gezien. Het ging over een jongen die samen met zijn twee broertjes winkeldiefstallen pleegde. Die jongen werd toen in een soort jeugdgevangenis opgesloten en zijn broertjes gingen allebei naar een tehuis. Ze mochten niet eens bij elkaar blijven. Ook mochten ze niet meer naar huis, want hun vader zorgde niet goed voor hen. Marnix krijgt het steeds benauwder. Hoe moet hij voorkomen dat ze straks uit elkaar worden gehaald?

'Ik wil niet naar het politiebureau,' jammert Max opeens. 'Ik wil terug naar de tent, maar het liefst wil ik terug naar huis, naar mama.'

Op dat moment klinkt er opeens geblaf. Het komt vanachter het raam.

'Pluto!' roept Max. Hij laat zich van zijn stoel glijden en duwt die naar het aanrecht. Voordat Marnix door heeft wat zijn broertje van plan is, zit hij erbovenop en probeert het raam open te doen, maar het lukt hem niet.

Marnix haast zich naar hem toe. 'Laat nou maar,' zegt hij. 'Er zitten een slot op het raam.' Hij wijst naar het sleutelgat onder de raamhendel.

Myrthe die er ook bij is gekomen trekt een la open. Opeens houdt ze een sleutel omhoog. 'Probeer deze eens,' zegt ze.

'Ben je nou helemaal gek,' zegt Marnix, maar Max steekt de sleutel al in het slot en een ogenblik later scharniert het raam open. Enthousiast blaffend springt Pluto tegen de muur eronder op.

'Sst,' sist Max. 'Pluto af!' Meteen is de hond stil.

Max steekt zijn hoofd naar buiten. 'Ik zie niemand,' fluistert hij. 'Nu kunnen we ontsnappen!' Hij heeft zijn been al over de vensterbank geslagen, als Marnix hem bij zijn arm grijpt.

'Hier blijven!' sist hij. 'Zo maken we het nog erger dan het al is.'

'Kan dat dan?' vraagt Myrthe wrang.

Marnix weet zo gauw niet wat hij moet zeggen.

Myrthe klimt ook op het aanrecht. 'Waar komt dit eigenlijk op uit?' fluistert ze en duwt het raam verder open. 'Er ligt hier een stapel pallets. We kunnen hem zo smeren.'

Marnix buigt zich naar voren en kijkt naar buiten. Achter het raam strekt zich een met betonplaten belegde ruimte uit; waarschijnlijk een losplaats voor vrachtwagens voor de supermarkt. Alles ligt er verlaten bij.

'Zie je wel,' fluistert Myrthe. 'Niemand te zien. Maar we moeten wel opschieten, want straks is de politie er.'

Pluto staat met zijn voorpoten op de pallets en kijkt verbaasd naar hen op. Hij lijkt zich af te vragen waarom ze niet naar buiten komen.

'Nou, vooruit dan maar,' zegt Marnix. Net wil hij op het aanrecht springen als Myrthe hem tegenhoudt.

'De boodschappen,' sist ze.

Dat is waar ook. Marnix haast zich terug naar de tafel en grist zijn rugzak van de stoel, waar hij hem op heeft gezet. Plotseling valt zijn oog op de gestolen spullen die op de tafel liggen. Even aarzelt hij, dan mikt hij ze boven op de boodschappen. Ze zijn toch al zo schuldig als wat en dit kan er ook nog wel bij.

Vlug loopt hij terug naar het keukentje. Max en Myrthe staan al buiten. Door het raam geeft hij Myrthe zijn rugzak aan. Een ogenblik later springt hij van de pallets af.

Uitgelaten begint Pluto te blaffen.

Marnix grijpt hem bij zijn halsband en probeert zijn bek dicht te houden. 'Pluto, sst!' sist hij hem toe. De hond lijkt het te begrijpen, want als Marnix hem loslaat is hij stil. Hij pakt het koord dat van zijn hals naar beneden hangt. Aan het eind voelt hij alleen een rafelig nat uiteinde. De lus is eraf.

Terwijl hij zijn rugzak omdoet, overziet hij het terrein. Links loopt een asfaltweggetje dat waarschijnlijk toegang geeft tot de grote weg, rechts is een lange uitbouw van de supermarkt. Daarachter is een bos.

Marnix wijst. 'Daarheen,' fluistert hij. Snel duwt hij nog even het raam dicht, dan snelt hij in gebogen houding langs de achterkant van de supermarkt tot bij de uitbouw. Pluto trekt zo hard aan het koord dat het uit zijn handen glipt. Hij kan niet anders doen dan hem laten gaan.

Achter zich hoort Marnix de snelle voetstappen van Myrthe en Max. Hij slaat linksaf en rent in de veilige schaduw van de uitbouw verder. Pluto bereikt als eerste de bosrand. Als Marnix er ook aan komt, kijkt hij pas om. Nog steeds is er niemand te bekennen.

Haastig duiken ze het bos in. Struikelend over takken en stenen werkt Marnix zich door de dichte ondergroei heen. Takken zwiepen in zijn gezicht en hij haalt zijn huid open aan scherpe braamranken. Alleen Pluto lijkt er geen last van te hebben. Hij rent telkens een eindje vooruit en kijkt dan ongeduldig om waar ze blijven.

Marnix begint zich net af te vragen of er ooit een einde komt aan het bos als ze opeens bij een weiland komen. Er staan vier paarden in die verbaasd opkijken. Hij wijst naar een omgevallen boom die een eindje verderop langs de bosrand ligt. 'Zullen we daar even uitrusten,' stelt hij voor.

Even later zitten ze hijgend naast elkaar.

'Zouden ze al ontdekt hebben dat we ervandoor

zijn?' vraagt Max.

'Ik denk het wel,' zegt Myrthe.

Marnix grinnikt. 'Ik zie het helemaal voor me hoe die man van de supermarkt zijn kantoortje binnenkomt en ziet dat de vogels gevlogen zijn.'

'Ik wou dat ik zijn gezicht kon zien,' gniffelt Myrthe. 'Hij begrijpt er natuurlijk niets van.'

'Hij ziet toch meteen dat het raam openstaat?' zegt Max.

Marnix schudt zijn hoofd. 'Ik heb het stevig dichtgedrukt. Het klemde zelfs een beetje.'

Max giechelt. 'Misschien kijkt hij nu wel in de keukenkastjes, of we ons daar hebben verstopt.'

'We moeten hier niet te lang blijven,' zegt Marnix opeens ernstig. 'Zodra die man van de supermarkt begrijpt dat we ontsnapt zijn, stuurt hij de politie achter ons aan.'

'Ze weten toch niet dat we hier zitten?' zegt Max.

'Daar komen ze gauw genoeg achter. Die hebben ervoor geleerd om ontsnapte...' - bijna had Marnix misdadigers gezegd, maar hij herstelt zich snel - '...kinderen op te sporen. Daarom wil ik zo vlug mogelijk een eind weg zijn.'

'Kan ik eerst nog wat drinken?' vraagt Myrthe. 'Ik heb zo'n droge mond.'

Marnix doet zijn rugzak af en haalt er een fles mineraalwater uit. 'Wil je ook een roze koek?' vraagt hij. Myrthe kijkt hem met open mond aan. 'Heb je die dan meegenomen?' vraagt ze.

'Ja, en de Engelse drop ook.' Marnix grinnikt. 'Wat

dacht je dan; al dat lekkers kon ik toch niet zomaar laten liggen?'

'En het eten voor Pluto?' vraagt Max.

'Dat ook.'

Even later zitten ze alle drie zwijgend te eten. Pluto krijgt van iedereen wat.

Opeens klinkt er in de verte autogetoeter. Het komt uit de richting vanwaar ze zijn gekomen.

Marnix ziet hoe Myrthe wit wegtrekt. 'De p... politie,' stamelt ze.

'Dat denk ik niet,' probeert hij haar gerust te stellen. 'Dit klinkt meer als de toeter van een vrachtauto. Trouwens, de politie toetert niet, die hebben een sirene.'

'Toch wil ik liever weg hier,' zegt Myrthe.

Max is het met haar eens.

Na nog wat gedronken te hebben, stopt Marnix de fles mineraalwater en de rest van de koeken terug in zijn rugzak. Ze besluiten het hek langs het weiland te volgen in de hoop dat ze op een pad stuiten. Daar zullen ze dan wel zien hoe ze verdergaan.

11. Politie!

Het plan leek zo eenvoudig, maar het lopen wordt bemoeilijkt door dicht op elkaar groeiend struikgewas en ze vorderen maar langzaam. De paarden volgen hen nieuwsgierig aan de andere kant van het hek. Myrthe blijft telkens staan om de braamranken die in haar kleren haken, voorzichtig los te maken.

'Loop nou eindelijk eens door,' moppert Marnix als hij voor de zoveelste keer moet wachten.

'Ik heb geen zin in scheuren in mijn kleren,' snibt ze. 'Trouwens, die stekels gaan er dwars doorheen en dat doet hartstikke pijn.'

'Neem een voorbeeld aan Max. Die is ook nog eens in de brandnetels gevallen, maar die hoor je niet.'

Myrthe haalt met een schokje haar schouders op.

Marnix ziet dat ze op het punt staat om weer te gaan huilen. 'Ik wil niet vervelend doen, hoor,' zegt hij, 'maar als we niet opschieten, krijgt de politie ons straks te pakken.'

'Hmm,' mompelt Myrthe alleen, maar ze schieten opeens een stuk sneller op.

Aan het eind van het weiland blijkt er inderdaad een pad te zijn. Linksaf gaat het in de richting van de weg en rechts gaat het de heuvel op. Rechtdoor kunnen ze niet. Pluto kijkt hen afwachtend aan.

'We gaan rechtsaf,' zegt Marnix, 'want ik heb geen zin om de politie in de armen te lopen.'

'Weet je dan waar dit pad heen gaat?' vraagt Myrthe.

'Nee, maar dat zien we wel.'

'En als we dan verdwalen? Net als papa?' voegt ze er na een korte aarzeling aan toe.

'We verdwalen heus niet,' probeert Marnix haar gerust te stellen. 'Verderop is straks heus wel een pad dat in de richting van het dorp gaat.'

'Waarom moeten we daarheen?' vraagt Myrthe.

'Ik wilde mam nog een keer proberen te bellen, maar ook omdat ik alleen van daaruit de weg terug naar de tent weet te vinden.'

'Zou de politie daar ook niet naar ons op zoek gaan?'

Marnix haalt zijn schouders op. 'Ik hoop het niet. We moeten gewoon oppassen dat we ze niet tegenkomen.'

Ze slaan rechtsaf. Het pad is behoorlijk steil en al gauw raken ze buiten adem. Alleen Pluto lijkt onvermoeibaar. Hij loopt telkens een eindje vooruit, en kijkt dan om of ze nog wel volgen.

Myrthe komt naast Marnix lopen. 'Dus je wilde weer naar de tent terug?' vraagt ze.

Marnix knikt. 'Daar zijn we veilig.'

Een hele tijd zegt Myrthe niets. 'Maar we kunnen ons daar toch niet voor eeuwig verstoppen?' zegt ze opeens.

Marnix schudt bedrukt zijn hoofd. 'Dat weet ik ook wel. Maar wat moeten we dan? Op het ogenblik wil ik alleen nog maar terug naar de tent. Het is de enige plek waar pap ons terug kan vinden. En morgen zien we dan wel weer verder.' Met een paar grote stappen neemt hij een steil stuk in het pad. Achter zich hoort hij Myrthe en Max hijgen. Als hij zich omdraait om te zien of ze hem wel bij kunnen houden, ziet hij opeens beneden zich de supermarkt liggen. Op de losplaats staat een vrachtwagen precies voor het raam waardoor ze ontsnapt zijn.

Marnix wacht tot Max en Myrthe hem hebben ingehaald. 'Kijk, daar eens.' Hij wijst.

'Waar?' vraagt Max.

Marnix tilt zijn broertje op. 'Zie je de supermarkt?'

Max knikt.

'En zie je die vrachtwagen? Die stond er nog niet toen we naar buiten klommen.'

Met z'n drieën kijken ze hoe een man een volgeladen kar vanuit de vrachtauto de laadplank op duwt. Op dat moment komt er vanuit de supermarkt een man naar de vrachtwagen toe lopen.

'Dat is die man die ons heeft opgesloten!' Marnix fluistert onwillekeurig.

'Hij moest eens weten dat wij hier naar hem staan te kijken,' giechelt Max.

'Liever niet,' zegt Marnix. Hij heeft het nog niet gezegd, of de man richt zijn blik op de heuvels, precies in de richting waar ze staan. 'Duiken!' sist Marnix.

Als ze voorzichtig weer overeind komen zien ze een witte auto met een blauwe streep het terrein van de supermarkt oprijden. Op het dak zit een balk met blauwe zwaailichten.

'Politie,' sist Myrthe.

Er stappen twee mannen uit. Ze duiken opnieuw weg.

'Ik heb helemaal geen sirene gehoord,' fluistert Max.

Marnix schudt zijn hoofd. 'Dat doen ze alleen als er echt haast bij is,' zegt hij. 'De zwaailichten op het dak stonden ook niet aan.' Hij komt behoedzaam overeind en gluurt tussen de takken door. De politiemannen zijn verdwenen. Waarschijnlijk zijn ze de supermarkt binnengegaan. Bij de vrachtauto is ook niemand meer te zien. In het kantoortje zal er nu wel druk overlegd worden hoe ze de drie winkeldieven te pakken kunnen krijgen.

Marnix glimlacht wrang. Als hij niet zo over zijn vader had ingezeten, had hij het wel een spannend avontuur gevonden. 'Kom, we gaan verder,' zegt hij.

In gebukte houding vervolgen ze het pad totdat ze niet meer zichtbaar zijn vanaf de supermarkt. Het slingert steeds verder de heuvel op.

'Waar blijft dat pad naar links eigenlijk?' vraagt Myrthe na een poosje.

Marnix haalt zijn schouders op. 'Ik weet net zoveel als jij.'

'Als ze ons maar niet achterna komen.' Myrthe kijkt angstig achterom.

'Die politieagenten?' Marnix lacht smalend. 'Zag je hun bierbuiken niet? Als die hier naar boven moeten klimmen, liggen ze na honderd meter al op apegapen. Die halen ons echt niet meer in.'

In een wat rustiger tempo lopen ze verder. Na een scherpe bocht in het pad, staan ze opeens op een open plek. Behalve het pad waar ze vandaan kwamen, komen er wel vijf andere paden op uit.

'En hoe moeten we nu?' vraagt Myrthe.

'Een van deze twee paden.' Marnix loopt naar links. 'Maar welke van de twee.' Hij leest wat er op de bordjes aan het begin van de paden staat. Het lijken plaatsnamen, maar ze zeggen hem niets. 'Weten jullie soms hoe het dorp heet waar we vanmorgen doorheen zijn gekomen?' vraagt hij.

Max en Myrthe schudden hun hoofd.

'Dan wordt het dus een gok.' Weifelend kijkt Marnix naar de twee paden die allebei in de goede richting gaan. 'Ik stel voor om het breedste te nemen,' zegt hij.

Het blijkt een goede beslissing te zijn, want ze lopen bijna parallel aan de weg die ze zo nu en dan diep beneden zich kunnen zien liggen. Het enige nadeel is dat ze nu ook van de weg af zichtbaar zijn. Daarom houden ze de auto's die er rijden goed in de gaten.

'Duiken!' sist Marnix opeens. Hij grijpt Pluto bij zijn halsband en trekt hem ook naar beneden.

'Wat is er?' fluistert Max.

'Een politieauto op de weg beneden ons.' Marnix

gluurt over het hoge gras in de berm en kijkt de auto na totdat hij achter een paar bomen verdwenen is.

'Zou het dezelfde als die bij de supermarkt zijn?' vraagt Myrthe.

'Ik denk het wel.'

'Hij ging in de richting van het dorp,' zegt Myrthe. 'Nu kunnen we daar niet meer naartoe.'

'Waarom niet?' vraagt Max.

'Omdat we nu gezocht worden door de politie,' zegt Myrthe vinnig. 'Als jij die spullen niet gepikt had, dan hadden we straks mama kunnen opbellen, maar nu kan dat natuurlijk niet meer.'

Max kijkt bedremmeld naar de grond. 'Als ze ons pakken, stoppen ze ons dan in de gevangenis?' vraagt hij met een geknepen stemmetje.

'Dat zou best eens...'

'Nee hoor,' valt Marnix zijn zusje in de rede. 'Myrthe kletst maar wat.' Hij werpt haar een boze blik toe.

'Kunnen we niet gewoon wachten tot de politie weer weg is uit het dorp?' vraagt Max bedrukt.

'Ja, dat kan.' Marnix komt overeind. De politieauto is niet meer te zien en ze gaan verder. Het pad stijgt en daalt telkens licht, maar het blijft ongeveer op dezelfde hoogte, waardoor het lopen minder vermoeiend is.

Marnix verbaast zich over Max en vooral over Myrthe. Zij is altijd de eerste die begint te klagen als ze een wandeling maken, maar nu hoort hij haar niet. Max klaagt zelden. Die loopt het liefst door tot hij erbij neervalt, maar uit zijn manier van lopen is meestal af te leiden hoe moe hij is. Nu ook. Zijn voetstappen zijn sloffend en hij struikelt steeds vaker.

'Ik wilde eigenlijk even stoppen,' zegt Marnix, 'niet alleen om uit te rusten, maar ook om te wachten totdat de politie weer uit het dorp is vertrokken.'

'Mij best,' zegt Myrthe.

Max zegt niets.

Nog geen vijf minuten later komen ze bij een oude vervallen schuur. Er voert een met onkruid overwoekerd pad naartoe, waaruit Marnix afleidt dat er een hele tijd niemand is geweest. 'Als we daarachter gaan zitten ziet niemand ons,' zegt hij.

Vooruitgegaan door Pluto banen ze zich een weg erheen. Aan de voorkant zijn twee hoge deuren. Van een ervan is de onderste scharnier afgebroken, waardoor hij scheef hangt.

Myrthe gluurt door de kier naar binnen. 'Het is daar hartstikke donker,' zegt ze.

'We gaan toch niet binnen zitten,' zegt Max. 'Veel te mooi weer.'

Marnix schudt zijn hoofd. 'Nee, we gaan aan de achterkant zitten. Als de politie ons toch achterna komt, zien ze ons niet.'

Maar als ze achter de schuur komen, blijkt er een enorme rommel te liggen van roestige landbouwwerktuigen en planken met spijkers erin. Alles is overwoekerd door brandnetels en hoog opschietend gras. Er is nergens plaats om te zitten.

'En nu?' vraagt Myrthe.

'Het lijkt of het pad hier verdergaat,' zegt Marnix. 'Houden jullie Pluto bij je, dan kijk ik even of er iets aan het eind hiervan is.' Hij baant zich een weg door het struikgewas. Dan staat hij opeens voor een weide. Het prikkeldraad eromheen is verroest en op een aantal plaatsen gebroken. Als hij eroverheen stapt, trapt hij bijna in de koeienpoep. Hij kijkt om zich heen, maar voor zover hij kan zien is er geen koe te bekennen.

'Wat is daar?' hoort hij Myrthe roepen.

'Een weiland!' roept hij terug.

'Kunnen we daar zitten?'

'Jawel, als je niet bang bent voor de stier die er staat.'

Het blijft even stil. 'Een stier?' roept zijn zusje uit. 'Ik kijk wel mooi uit. Stieren zijn hartstikke gevaarlijk!'

Marnix lacht. 'Grapje,' roept hij. 'Kom nou maar.'

Pluto is de eerste die uit de struiken tevoorschijn komt. Even later zijn Max en Myrthe er ook.

Marnix wijst naar de rand van het weiland waar een paar overhangende meidoornstruiken voor wat schaduw zorgen. 'Zullen we daar gaan zitten?'

Ze lopen erheen en ploffen alle drie uitgeput neer. Zelfs Pluto is moe en laat zich met een diepe zucht languit in het gras vallen.

'Ik kan niet meer,' kreunt Max.

'Wat dacht je van mij,' zegt Myrthe. 'Ik heb vast blaren.' Ze trekt haar schoenen en sokken uit en begint haar voeten te inspecteren.

Max knijpt demonstratief zijn neus dicht. 'Jasses, tenenkaas!' roept hij.

'Alsof jouw voeten zo lekker ruiken,' snauwt Myrthe.

Marnix maakt zijn rugzak open. 'Wie wil er Engelse drop?'

'Ik,' roepen Max en Myrthe tegelijk.

Max trekt zijn jack uit en spreidt het uit op de grond. 'Gooi alles hier maar op,' zegt hij. 'Dan kunnen we het eerlijk verdelen.'

'Zouden we niet wat bewaren?' stelt Marnix voor.

'Mooi niet,' zegt Myrthe. 'Stel je voor dat de politie ons toch te pakken krijgt, dan zijn we al dat lekkers kwijt.'

Marnix knikt en keert de zak om op Max' jack.

'Mag ik die met een geel laagje erin?' vraagt Max meteen.

'Mij best,' antwoordt Myrthe, 'als ik die met bruin erin maar mag. En jij?' vraagt ze aan Marnix.

'Maakt mij niet uit,' zegt hij. 'Ik vind alles lekker.'

Pluto staat kwijlend toe te kijken, terwijl ze de drop verdelen. Max gooit hem twee dropjes toe die hij handig opvangt.

'Dat is niet goed voor zijn tanden,' zegt Myrthe.

'Voor jouw tanden ook niet,' zegt Max vinnig.

'Ik maak dat blik hondenvoer wel open,' zegt Marnix. 'Dan zijn we dat ook kwijt.'

Terwijl hij het mes van zijn vader uit zijn zak haalt, overvalt hem weer dat beklemmende gevoel. Waar is pap? Hij is gewoonweg verdwenen en niet meer teruggekomen. Er moet iets gebeurd zijn.

Marnix drukt de akelige gedachten die bij hem opkomen weg en trekt de blikopener uit het mes. Zwaaiend met zijn staart komt Pluto naast hem staan. 'Ja, dat is voor jou,' zegt hij. Omdat de rand van het blik vlijmscherp is, schept hij de inhoud er met het mes uit. Telkens als een brok in het gras valt, schrokt Pluto het naar binnen.

'Zullen we de rest van de roze koeken dan ook maar opeten?' vraagt Myrthe.

'Mij best,' zegt Marnix en grimmig laat hij erop volgen: 'In elk geval krijgt de politie ze niet!' Met een boog gooit hij het lege blik tussen de struiken.

Terwijl Myrthe de laatste drie roze koeken uit de verpakking haalt, maakt Marnix een dubbele boterham met pindakaas voor zichzelf klaar. Als ze zijn uitgegeten, propt Marnix het plastic afval van de gestolen spullen tussen de wortels van een meidoornstruik.

'Ik kan niet meer,' kreunt Max. Hij laat zich met een zucht achterover in het gras zakken.

'Ik ben misselijk,' zegt Myrthe.

'Hadden jullie je ook maar niet zo vol moeten stoppen,' grinnikt Marnix.

Pluto gaat languit tussen hen in liggen met zijn kop op Max' buik.

Myrthe grinnikt. 'Hij gebruikt je gewoon als kussen,' zegt ze.

'Dat mag hij wel, hoor.' Met zijn ogen dicht aait Max de hond over zijn kop.

Marnix kijkt peinzend op zijn broertje neer. Hij is zichtbaar gek op de hond. Hoe moet dat straks als ze naar huis gaan? Want wat er ook met pap is gebeurd, eens zullen ze toch terug moeten. En dan kunnen ze de hond toch niet gewoon hier achterlaten? Op zijn minst moeten ze zien te achterhalen wie zijn baas is en als ze die niet vinden, moeten ze hem naar een asiel brengen. Dat zal nog wat worden... Maar misschien kunnen ze mam overhalen om de hond te houden. En pap...?

Marnix voelt opeens hoe moe hij is. Niet alleen van de lange tocht, maar ook door de zorgen om zijn vader. Hij trekt zijn jack uit en legt het in een rolletje onder zijn hoofd.

'Je valt toch niet in slaap, hè?' zegt Myrthe.

'Nee, ik ga alleen maar even liggen,' antwoordt Marnix. 'We kunnen voorlopig toch niet naar het dorp, want ik wil wachten totdat de politie daar weg is.'

'Denk je dat ze nog steeds naar ons op zoek zijn?'

'Geen idee, maar hoe langer we wachten hoe beter. Ik wil alleen wel voor het donker bij de tent zijn, want...'

'We hebben vergeten batterijen voor de lamp te kopen,' onderbreekt Myrthe hem.

Marnix knikt. 'Ik heb er nog wel even aan gedacht, maar dan hadden we geen eten kunnen kopen.'

Myrthe zegt niets meer. Ze neemt nog een slok water en begint doelloos grassprietjes uit te trekken.

Marnix kijkt naar haar zonder dat ze het merkt. Zij begrijpt waarschijnlijk ook wel dat hun situatie tamelijk uitzichtloos is: ze hebben geen geld meer, ze worden gezocht door de politie en pap is spoorloos. Wat kunnen we verder nog doen? 'Morgen zien we wel verder,' zegt hij meer tegen zichzelf dan tegen haar.

Een plotselinge windvlaag jaagt opeens door de

takken en er vallen een paar blaadjes naar beneden. Ongemerkt is de zon verdwenen. Marnix kijkt naar de lucht. Er drijven wat wolken over, maar die zien er niet dreigend uit. Voorlopig zal het wel droog blijven. Ze hebben nog geluk dat ze al die tijd zulk mooi weer hebben gehad.

Even later schijnt de zon alweer. Zo nu en dan vallen de stralen tussen de bladeren door, recht in Marnix' gezicht. Door het flikkerende licht moet hij telkens met zijn ogen knipperen. Ten slotte sluit hij ze maar. Hij moet alleen wel wakker blijven, want hij moet nog over zoveel nadenken. Als eerste moeten ze mam zien te bellen, maar waar? In het dorp is de politie naar hen op zoek en ze hoeven het ook niet meer te proberen bij dat huis met die... Zijn gedachten beginnen door elkaar te dwarrelen. Nog even doet hij een verwoede poging om wakker te blijven, dan valt hij in een peilloos diepe slaap.

12. Rennen!

'Pap, de tent lekt,' hoort Marnix zichzelf zeggen. Hij voelt hoe er een druppel op zijn voorhoofd valt. Met een lome beweging veegt hij hem weg, maar terwijl hij dat doet valt er weer een druppel, nu op zijn mond. Hij likt hem van zijn lippen. Lekker, denkt hij doezelig.

Opeens is hij klaarwakker. De druppels vallen nu overal op zijn gezicht. Met een ruk gaat hij rechtop zitten. Zijn broek en zijn T-shirt zijn al aardig nat. 'Max, Myrthe, wakker worden!' roept hij.

'Wa... wat is er aan de hand?' vraagt Myrthe slaperig.

'Het regent!'

'Moet je me daarvoor wakker maken?' mompelt ze.

'Ik had je ook kunnen laten slapen.' Marnix ziet dat Max zijn ogen ook open heeft.

'Het regent,' stelt hij verbaasd vast.

'Ja, dat hadden we ook al gemerkt,' merkt Myrthe wat zuur op.

Ze trekken hun jack aan en kruipen verder naar

achter, tot vlakbij de stam van de meidoorn. Maar het bladerdek is ook daar niet waterdicht en de regen drupt er dwars doorheen.

'Waar is Pluto?' vraagt Max.

Ze kijken om zich heen, maar ze zien hem nergens.

'Misschien is hij terug naar zijn baas,' zegt Myrthe.

Marnix kijkt haar nijdig aan. 'Daar geloof ik niets van,' zegt hij. 'Hij zal wel een droog plekje hebben opgezocht. En dat kunnen wij ook beter doen. Als we hier blijven, worden we drijfnat.'

'De schuur!' roept Max.

Met hun jack over hun hoofd rennen ze erheen. Als ze er aankomen, wringt Pluto zich net door de kier naar buiten.

'Hier zat je dus,' zegt Marnix. 'Had je ons niet even wakker kunnen maken?' voegt hij er gemaakt boos aan toe.

Ondertussen probeert Max zich door de kier naar binnen te werken, maar hij kan er net niet door.

'Laat mij maar even,' zegt Marnix. Hij geeft een stevige ruk aan de deur, maar er klinkt alleen wat gekraak.

'Hij zit toch niet op slot, hè?' zegt Myrthe.

Marnix laat zijn blik onderzoekend over het hout gaan. Er is niets te zien van een slot of een grendel. De deur moet dus open kunnen. Hij haakt zijn vingers achter de rechterdeur, zet zijn voet tegen de andere deur en trekt zo hard als hij kan. Er klinkt een schurend geluid en opeens schiet de deur open. Marnix valt languit achterover. De hartgrondige krachtterm die hij eruit wilde gooien wordt gesmoord door een natte tong die over zijn gezicht dweilt. 'Pluto, schei uit,' roept hij. 'Ik ben al nat genoeg.'

Hij krabbelt overeind en loopt achter Myrthe en Max aan de schuur in. Het duurt even voordat zijn ogen aan het schemerdonker gewend zijn, dan begint hij langzaam het een en ander te onderscheiden. Rechts van hem tegen de zijwand zijn houtblokken opgestapeld. Daarvoor ligt een uiteengevallen strobaal. In het midden is een soort kuiltje, waar Pluto in neerploft, alsof hij er vaker ligt.

Marnix loopt verder de schuur in. Tegen de achterwand staan te midden van allerlei rommel een oude tafel en een paar wrakke stoelen. Met een zucht gaat hij op een ervan zitten. Opeens is het of de wereld onder hem vandaan valt en het volgende ogenblik zit hij op de grond. Dan pas hoort hij het gelach van Myrthe.

'Zit je daar lekker?' giert ze.

'De stoel is helemaal stuk,' zegt Max geschrokken.

Marnix pakt de stoelpoot die het dichtst bij hem ligt. 'Die was ook vanzelf wel ingezakt,' zegt hij. 'Hij zit helemaal vol met houtwurm.'

Myrthe giechelt. 'Die zullen dan wel geschrokken zijn.'

Dan moet hij zelf ook lachen. Marnix staat op. Boven zijn hoofd ratelt de regen nog steeds op het dak. Hij loopt naar de deur. Buiten is het één grijs gordijn van water.

Myrthe komt naast hem staan. ‘Ik heb het koud,’ zegt ze.

‘Ik ook,’ antwoordt hij. ‘Dat komt omdat we nat zijn.’

Ze kijken een poosje naar de regen, die met bakken naar beneden komt.

‘Hoe laat is het eigenlijk?’ vraagt Myrthe opeens.

Marnix houdt zijn horloge bij de deuropening, waar het lichter is. ‘Vijf voor vier,’ antwoordt hij.

‘Hebben we zo lang geslapen?’

‘Dat moet wel.’

Myrthe steekt haar hand naar buiten. Hij is meteen drijfnat. ‘Wat doen we als het niet droog wordt?’ vraagt ze.

‘Ik weet het niet. Hier kunnen we in elk geval niet blijven. We hebben het nu al koud en vannacht wordt het nog veel kouder.’

‘Maar als we door de regen moeten, worden we drijfnat.’

‘In de tent hebben we droge kleren.’

Myrthe zegt niets meer. Ze blijft nog even weifelend staan, dan loopt ze terug naar Max die naast Pluto in het stro is gaan zitten.

Marnix besluit nog een halfuurtje te wachten, maar dan moeten ze ook echt verder. Hij kent de weg door het bos nu wel zo ongeveer, maar niet in het donker. In elk geval hoeven ze straks niet bang te zijn dat ze in het dorp de politie tegenkomen. Die heeft de zoektocht nu wel opgegeven. Vanavond zitten ze veilig in de tent. En morgen? Marnix zucht. Morgen zullen ze íets moeten.

Ze kunnen niet nóg een dag bij de tent blijven, wachtend op een vader die toch niet komt.

Opeens springen er tranen van boosheid in zijn ogen. Waarom moest pap ook zo nodig alleen weg? En waarom komt hij niet terug? Maar het volgende ogenblik slaat zijn boosheid weer om in wanhoop. Waar is pap? Wat is er met hem gebeurd? Want dat er iets is gebeurd daar is hij nu wel zeker van. Als het maar niets ergs...

Om de opkomende paniek de baas te worden begint hij de schuur op en neer te ijsberen. Telkens als hij bij de deur is, kijkt hij even naar buiten, maar het regent nog steeds. Net overweegt hij om toch maar verder te gaan, als de regen opeens minder wordt. Nog geen vijf minuten later is het droog en komt er een waterig zonnetje tevoorschijn. Max is de eerste die buiten staat.

'Gaan we?' vraagt Myrthe.

Marnix knikt.

Max steekt zijn hoofd om de schuurdeur naar binnen. 'Pluto, kom je nog?' roept hij ongeduldig.

Met zijn ogen half dichtgeknepen tegen de zon komt de hond een ogenblik later naar buiten. Daar rekt hij zich uitgebreid uit en gaapt.

'Luilak,' grinnikt Max.

Ze lopen door het natte gras terug naar het pad. Marnix' broek, die al een beetje begon te drogen, is meteen weer doorweekt. Maar het pad zelf geeft andere problemen. Het is modderig geworden en omdat het sterk daalt, glibberen ze telkens weg.

Max, die al twee keer onderuit is gegaan, probeert

de moed erin te houden. 'Het lijkt wel of Pluto zwarte sokjes aan heeft,' grinnikt hij.

'En jij zwarte handschoenen,' lacht Marnix.

Max kijkt naar zijn handen, die zwart zijn van de modder. Hij veegt ze af aan het natte gras in de berm, maar veel schoner worden ze niet.

Tot Marnix' opluchting blijkt het pad inderdaad naar het dorp toe te gaan, want na een halfuurtje komen ze opeens bij de eerste huizen. Hij knoopt het koord weer aan Pluto's halsband en maakt er een nieuwe lus in. 'Vanaf nu blijven we vlak bij elkaar,' zegt hij gedempt. 'Zodra we ook maar iets van een politieauto zien of horen, moeten we ons verstoppen.'

Maar er is geen politie te bekennen. Ook de mensen die ze tegenkomen lijken niet op hen te letten. Langzaam ontspannen ze zich. Ze slaan een straat in waarvan ze denken dat hij de goede richting uitgaat, maar de weg die ze gekomen zijn vinden ze niet.

'We moeten terug naar het marktplein,' zegt Marnix. 'Vandaar weet ik precies hoe we moeten.'

Na wat zoeken hebben ze het plein gevonden.

'Nu zijn de winkels wel open,' zegt Myrthe. Ze blijft staan voor de etalage van een souvenirwinkeltje. 'Als ik geld bij me had gehad, zou ik dat voor mama meenemen.' Ze wijst op een kettinkje. 'Zoiets vindt ze vast mooi.'

Marnix knikt afwezig. Hij heeft wel wat anders aan zijn hoofd. Met zijn handen om zijn ogen tuurt hij door de ruit van de winkeldeur. Hij ziet niemand. Opeens valt zijn oog op het telefoontoestel op de toonbank. 'Ik ga proberen hier mam te bellen,' zegt hij.

Als hij de deur opendoet, klinkt er een helder geklingel. Meteen komt er vanachter uit de winkel een vrouw aanlopen. Ze glimlacht vriendelijk naar hen, maar bevriest als ze Pluto ziet. Argwanend gaat haar blik van de een naar de ander. Dan loopt ze haastig naar de toonbank, pakt de telefoon en begint een nummer in te toetsen.

Marnix begrijpt meteen wie ze belt. 'Wegwezen!' sist hij. Hij duwt Max en Myrthe voor zich uit naar de deur.

'Waarom?' protesteert Myrthe.

'Daarom!' Marnix struikelt bijna over Pluto, dan staat hij buiten. 'Dat mens belt de politie,' fluistert hij. 'Rennen!'

'Hoe weet je dat?' vraagt Max.

'Dat weet ik gewoon,' zegt Marnix kortaf. 'Ik vertel het jullie zo wel, nu moeten we maken dat we wegkomen!'

Ze rennen in de richting van waaruit ze die ochtend het plein op gekomen zijn. De straat die ze inslaan ziet er verlaten uit. Ze zien alleen een vrouw op een trapje die de ramen aan het zemen is, maar ze heeft geen oog voor hen.

Ze hollen verder. Uit een zijstraat komt opeens een man met een klein hondje. Het hondje valt venijnig naar Pluto uit, maar die doet alsof het mormel er niet is. De man roept hen nijdig iets achterna, maar dat verstaan ze niet.

Opeens gaat Marnix langzamer lopen en wacht tot

de andere twee hem hebben ingehaald. 'We moeten zo min mogelijk opvallen,' fluistert hij. 'Hoe minder mensen zich ons herinneren, hoe beter. Niemand moet de politie precies kunnen vertellen welke kant we op zijn gegaan.'

'Denk je echt dat die vrouw in die winkel de politie heeft gebeld?' vraagt Myrthe.

Marnix knikt. 'Zag je haar gezicht niet? Ze wist wie we waren. Ik durf te wedden dat de politie bij haar in de winkel is geweest. Ze hebben haar waarschijnlijk gewaarschuwd dat ze uit moest kijken naar een stelletje winkeldieven met een bruine hond en dat ze moest opbellen als...'

'Ik ben geen winkeldief,' zegt Max opeens half in tranen. 'Ik wilde alleen maar wat lekkers voor iedereen meenemen.'

'Dat weten we wel,' sust Marnix hem. Hij neemt zijn broertje bij de hand en slaat de weg in die de heuvel op leidt.

13. Net op tijd

Ze lopen stevig door om zo snel mogelijk het dorp uit te zijn. Ze hebben geluk, want behalve twee auto's die hen passeren, komen ze niemand meer tegen. Als ze de laatste huizen achter zich hebben gelaten, halen ze opgelucht adem. Al gauw komen ze bij het weiland en is het dorp niet meer zichtbaar.

'Een knappe politieagent die ons nu nog weet te vinden,' grijnst Marnix.

'Alsof we in lucht zijn opgegaan,' lacht Myrthe.

Marnix knikt. 'Maar we moeten wel doorlopen,' zegt hij. 'Het is nog een heel eind naar het bos. Pas als we daar...'

'Stil eens,' zegt Max opeens. Hij steekt luisterend zijn wijsvinger op. Heel in de verte klinkt een politiesirene.

'Daar heb je ze!' roept Myrthe. In wilde paniek zet ze het op een lopen.

Max rent achter haar aan en Marnix weet niet beter dan er ook maar achteraan te hollen. Doordat de weg behoorlijk stijgt, zijn ze al gauw buiten adem en hun tempo zakt af tot een sukkeldrafje. Maar ze kunnen niet harder, ondanks dat het geluid van de sirene steeds dichterbij komt.

'Ze halen ons in,' piept Max angstig.

'We moeten ons verstoppen,' roept Myrthe.

'In het bos, ja,' zegt Max. 'Daar zijn een heleboel verstopplekjes.'

'Maar dat is nog een heel eind.' Myrthe blijft hijgend staan. 'Ik kan niet meer.'

'Ik ook niet,' zegt Marnix. Met zijn handen op zijn knieën probeert hij op adem te komen.

'Laten we nou opschieten,' roept Max.

Marnix schudt zijn hoofd. 'Dat heeft geen zin. Ook al lopen we nog zo hard, we maken geen schijn van kans tegen een snelle politiewagen.'

Net wil hij verdergaan als het geluid van de sirene van richting lijkt te veranderen. 'Stil eens even.' Hij gebaart Max en Myrthe te wachten. 'Volgens mij komt het geluid van de grote weg. Ze zitten niet achter ons, maar zijn op weg naar het dorp! Hoor maar.'

Ze luisteren alle drie gespannen. Plotseling wordt de sirene uitgezet.

'Nu rijden ze het dorp in.' Marnix fluistert onwillekeurig.

'Dan hoeven we dus niet zo te rennen,' zegt Myrthe opgelucht.

Hij schudt zijn hoofd.

'Hoe lang denk je dat het duurt voordat ze hier zijn?'

'Dat hangt ervan af hoe lang ze erover doen om uit

te vinden waar we zijn gebleven. Ze zullen wel rechtstreeks naar dat souvenirwinkeltje gaan om te vragen welke kant we op zijn gelopen.'

Max maakt een paar opgewonden sprongetjes. 'Maar dat heeft die mevrouw lekker niet gezien, hè, Marnix?'

'Nee, dat heeft ze niet gezien,' stelt hij zijn broertje gerust. 'Maar toch kunnen we beter opschieten. Hoe eerder we een schuilplaats vinden hoe beter.' Meteen zet hij er weer stevig de pas in. Hier kunnen ze zich nergens verbergen. De greppel tussen de weg en het weiland staat na de regen van die middag waarschijnlijk vol water. En aan de andere kant is het zo steil dat naar boven klimmen is uitgesloten. Verderop hebben ze meer kans om een schuilplaats te vinden. Daar groeit langs de weg dicht struikgewas waarachter ze zich kunnen verstoppen.

Marnix heeft weer hoop gekregen en dat geeft hem kracht om verder te gaan. Hij neemt Max en Myrthe bij de hand en met zijn drieën gaan ze op een drafje verder.

Pluto lijkt geen idee te hebben wat er aan de hand is, want hij rent vrolijk voor hen uit.

Zo nu en dan luisteren ze even of ze de sirene van de politieauto weer horen, maar tot hun opluchting blijft alles stil.

Ondanks dat Marnix de andere twee telkens aanspoort, zakt hun tempo steeds verder af. Vooral Max kan niet meer. Hij sleept zich hijgend voort.

'Nog even volhouden,' moedigt Marnix hem aan.

Max staat stil en wrijft over zijn benen. 'Ik wil wel,' zegt hij, 'maar mijn benen willen niet meer.'

'Zal ik je dragen?' vraagt Marnix.

Max kan alleen maar zijn hoofd schudden.

'Geef me dan maar een hand,' zegt Marnix. Met de warme hand van zijn broertje in de zijne sleept hij zich voort. Jaloers kijkt hij naar Pluto. De hond heeft toch minstens dezelfde afstand afgelegd en hij is nog steeds niet moe. Opgewonden snuffelend volgt hij een of ander spoor langs de kant van de weg.

Als ze bij de braamstruik aankomen, is hij opeens verdwenen. 'Pluto, kom terug!' roept Marnix gedempt, maar hij ziet en hoort de hond niet meer. Waar is hij gebleven? Terwijl Myrthe en Max nog een paar bramen plukken die ze over het hoofd hadden gezien, gaat Marnix op zoek. Even verderop ziet hij een smalle doorgang tussen de takken. Erachter is iets van een paadje. Nieuwsgierig volgt hij het. Het buigt naar links en opeens ziet hij Pluto. De hond staat in een ondiepe kuil en snuift opgewonden met zijn neus over de grond. Net wil hij hem aan zijn halsband mee terugtrekken naar de weg, als hij de stemmen van Max en Myrthe hoort. De kuil moet vlak achter de braamstuik liggen, want hij kan zelfs hun benen tussen de takken door zien. Hij gluurt even naar hen, dan grijnst hij. Met een verdraaide stem zegt hij bars: 'Daar zijn jullie dus!'

Met een gilletje springt Myrthe achteruit.

'Puh,' zegt Max. 'Je hoort toch wel dat het Marnix is?'

'Flauw hoor,' moppert Myrthe.

'Waar zit je?' vraagt Max.
'Hier, achter de braamstruik. Ik zocht Pluto.'
'Is hij daar dan?'
'Ja. Volgens mij heeft hij...'
'Ik hoor een auto aankomen!' roept Myrthe opeens.
Marnix' hart slaat een slag over. 'Waar vandaan?'
'Van de kant van het dorp!'
Dan hoort Marnix het ook. 'Vlug, kom hierheen!' roept hij. 'Een paar meter verderop is aan de linkerkant een doorgang tussen de struiken. Je ziet het vanzelf.' Hij krijgt geen antwoord meer en hoort alleen rennende voetstappen.
Myrthe springt als eerste in de kuil. 'Het is vast de politie,' fluistert ze.
'Of pap,' zegt Max hoopvol.
Marnix schudt zijn hoofd. 'Paps auto klinkt heel anders.' Het gebrom van de motor wordt sterker.
'Ik hoor helemaal geen sirene,' fluistert Myrthe.
'Die zetten ze natuurlijk niet aan als ze iemand moeten opsporen,' fluistert Marnix terug. Hij gebaart dat ze stil moeten zijn, want hij hoort dat de auto nu vlakbij is.
Opeens wil Pluto er weer vandoor gaan. Net op tijd grijpt Marnix hem bij zijn halsband. 'Hier blijven!' zegt hij streng, 'en zitten!'
'Doe niet zo lelijk tegen hem,' roept Max boos.
'Ik moet wel,' fluistert Marnix. 'Als hij de weg op loopt dan weet de politie meteen dat wij ook in de buurt zijn.'

‘Sst, daar heb je ze,’ sist Myrthe.

Gebukt gluren ze tussen de takken van de braamstruik door. Het volgende ogenblik is de auto voorbij. Het geluid sterft langzaam weg.

‘Het was toch de politie,’ zegt Max teleurgesteld.

Marnix knikt alleen.

Ze wachten af wat er gaat gebeuren, maar de politieauto komt niet terug.

‘Zouden ze nu in het bos aan het zoeken zijn?’ vraagt Myrthe opeens ongerust.

‘Ik weet het niet,’ antwoordt Marnix.

‘Wat moeten we als ze de tent ontdekken?’

Marnix zegt maar niet dat hij daar ook al aan heeft gedacht. ‘Die vinden ze niet,’ zegt hij zo overtuigend mogelijk. Hopelijk heeft hij gelijk, maar daar is hij niet zo zeker van. Stel je voor dat ze hen daar staan op te wachten...

Terwijl hij nadenkt over waar ze in dat geval moeten slapen, heeft hij de grootste moeite om Pluto in bedwang te houden. Hij probeert zich telkens los te wringen. ‘Pluto, hou op!’ moppert hij.

‘Wat is er met hem?’ vraagt Myrthe.

‘Ik denk dat hij een wild dier heeft geroken.’ Marnix trekt een plukje haar van een braamrank. ‘Kijk maar. Ik denk dat dit een slaapplek van een ree is of een hert.’

‘Dat haar kan ook van Pluto zijn,’ zegt Max.

Marnix schudt zijn hoofd. ‘Kijk maar hoe hij erop reageert.’

Ze kijken alle drie naar de hond die opgewonden aan het plukje haar staat te snuffelen.

'Wat doen we als het hert terugkomt?' vraagt Max angstig.

Marnix lacht even. 'Die komt niet terug. Daar zorgt Pluto wel voor.'

'Hoe lang moeten we hier eigenlijk nog blijven zitten?' vraagt Myrthe na een poosje. 'Straks is het hartstikke donker en... Daar heb je ze weer!' onderbreekt ze zichzelf.

Ze luisteren gespannen. Het geluid van de politieauto nadert snel en een ogenblik later rijdt hij voorbij. Marnix kan de twee agenten die erin zitten duidelijk zien.

Ze wachten nog een minuut of vijf, dan besluiten ze om uit hun schuilplaats tevoorschijn te komen en terug te gaan naar de tent.

De afstand tot de kruising valt nog behoorlijk tegen en als ze er eindelijk aankomen is de schemering al ingevallen. Onder de bomen is het nog donkerder dan op de weg. Ze passeren de houtstapel waarachter ze zich gisteren verstopt hebben.

Marnix herinnert zich dat hij een meter of tien ervoor de laatste pijl op het pad heeft gemaakt, maar hij kan hem niet terugvinden. Of het is te donker om hem nog te onderscheiden, of hij is door de regen uitgewist.

'Weet je de weg nu nog wel?' vraagt Myrthe angstig.

'Ja, hoor.' Marnix' stem klinkt zelfverzekerder dan hij zich voelt. 'Ik heb die pijlen niet nodig. Op de heenweg heb ik goed opgelet.'

Opeens klinkt er boven zijn hoofd een schorre

schreeuw. Zijn hart slaat een slag over van de schrik en hij voelt hoe Myrthe zijn mouw vastgrijpt.

'W...wat was dat?' stamelt ze.

'Dat was een uil,' antwoordt Max.

'Hoe weet jij dat nou?' vraagt ze een beetje kribbig.

'Van de televisie. Wees maar niet bang, uilen doen niks.'

'Ja, dat weet ik ook wel, maar...'

'Laten we nou opschieten,' kapt Marnix hen af. 'Ik wil bij de tent zijn voordat we helemaal niks meer kunnen zien.' Terwijl hij haastig verder loopt laat de uil zich nog een paar keer horen, dan is hij stil. Maar de spanning blijft. Hij is nog nooit zo laat in een bos geweest en al helemaal niet in een bos dat hij niet kent. De stilte benauwt hem. Behalve hun voetstappen en de wind in de takken is er geen geluid te horen. Dan hoort hij nog liever het geschreeuw van een uil.

Gelukkig is het nog niet helemaal donker, maar toch donker genoeg om alles er anders uit te laten zien: een boomstronk die op een ineengedoken panter lijkt, klaar voor de aanval. Een dode tak is precies een slang met een dreigend opgeheven kop. Marnix weet dat er in deze omgeving geen gevaarlijke dieren rondsluipen, maar toch...

De hond lijkt zich weinig van dat alles aan te trekken. Hij draaft rustig voor hen uit. Zo nu en dan wacht hij even tot ze hem hebben ingehaald, dan gaat hij weer verder. Marnix vertrouwt er maar op dat híj de weg kent.

Terwijl ze zo snel mogelijk verder lopen wordt het steeds donkerder. Het pad is nauwelijks nog te zien en ze struikelen telkens over boomwortels en andere obstakels. Myrthe is bijna in tranen.

'Geef me maar een hand,' zegt Marnix.

'Dan neem ik je andere hand,' zegt Max.

Met Marnix voorop gaan ze verder, maar erg snel gaat het niet meer. Pluto kijkt telkens om waar ze blijven. Marnix kan hem nauwelijks nog onderscheiden, hoewel hij niet meer dan een tiental meters voor hem uit loopt. Daarom roept hij hem terug en pakt hij hem bij zijn halsband. Opeens gaat het gemakkelijker. Het is of de hond hen langs de obstakels heen leidt, want ze struikelen veel minder en ze schieten opeens een stuk sneller op.

Plotseling ziet hij voor zich een vage glans. Een ogenblik meent hij dat het de weerkaatsing van het laatste licht op een auto is, paps auto... Dan ziet hij dat het maar een plas is. Het volgende ogenblik zakt een van zijn voeten weg in de modder. 'Het modderige stuk!' roept hij opgelucht. 'We gaan goed!'

Ze schuifelen langs de hoge kant van het pad, half tussen de bomen door. Als ze er voorbij zijn, is het of ze vleugels krijgen. Zo snel als ze kunnen reppen ze zich voort. Eindelijk zien ze de open plek als een lichtvlek uit het duister opdoemen. Aan de rand ervan staan ze stil. Het is er minder donker dan onder de bomen en heel vaag kunnen ze de tent onderscheiden.

'Ik vind het eng,' fluistert Myrthe. 'Straks heeft een van die agenten zich achter de tent verstopt.'

'Dat denk ik niet,' zegt Marnix. 'Maar ik ga wel eerst. Kom maar,' roept hij een ogenblik later, 'er is niemand.' Hij zucht geluidloos. Hij wou dat hij had kunnen zeggen: kom maar, pap is terug.

Op de tast kleden ze zich uit. Terwijl Max en Myrthe in hun slaapzak kruipen, hangt Marnix de natte jacks over de nokstok. Terwijl hij daarmee bezig is, ziet hij opeens een schim het slaapgedeelte van pap binnensluipen. 'Wil je daar wel eens gauw uit komen!' moppert hij.

'Tegen wie heb je het?' vraagt Myrthe.

'Tegen Pluto. Hij wilde weer op paps slaapzak gaan liggen, maar hij heeft vieze poten.'

'Wat geeft dat nou? Pap komt vannacht toch niet terug.'

Opeens kan Marnix er niet meer tegen. 'Ja, en jij kan het weten!' bijt hij haar toe. 'Schiet op,' moppert hij tegen Pluto. 'Dit is jouw plek.' Hij wijst naar de hoop droog gras in de hoek. Met een zucht gaat de hond liggen.

'Moet Pluto nu in de voortent slapen?' vraagt Max.

'Ja.' Met een nijdige ruk ritst Marnix het slaapgedeelte van pap dicht.

'Maar daar tocht het.'

'Daar kan hij best tegen. Hij heeft een dikke vacht.'

'Maar die is nat.'

'Die is zo weer droog.'

Max zegt niets meer.

Met een vaag schuldgevoel sluit Marnix de rits van de buitentent en kruipt dan ook in zijn slaapzak. Met zijn handen onder zijn hoofd staart hij het duister in. Hij had niet zo lelijk tegen Pluto moeten doen. Als hij er niet was geweest, dan waren ze vrijwel zeker verdwaald. Marnix' gedachten gaan weer naar zijn vader. Hij gelooft allang niet meer dat pap is verdwaald. Er moet iets gebeurd zijn. Iets ergs, waardoor pap niemand meer heeft kunnen waarschuwen dat er drie kinderen alleen in het bos zitten.

Hij voelt hoe er langzaam een traan langs zijn slaap naar beneden begint te lopen. Opeens voelt hij hoe zijn luchtbed aan een kant inzakt, alsof iemand erop trapt. Pap? Zijn mond vormt het woord, maar er komt geen geluid uit. Het volgende moment voelt hij een natte neus in zijn gezicht en ploft Pluto tussen hem en de andere twee in.

Max giechelt.

Even is Marnix te beduusd om te reageren, dan probeert hij de hond terug te duwen, maar die blijft als een zoutzak liggen. 'Pluto, ga weg,' moppert hij. 'Je bent nat.'

'Hij had het natuurlijk koud,' zegt Max verwijtend.

'Dat zal best, maar zo kan ik mijn kont niet keren.'

'Als je last hebt van Pluto, dan ga je toch hiernaast liggen?' komt Myrthes stem vinnig vanuit het duister.

Er ligt een scherp antwoord op het puntje van zijn tong, maar hij zegt niets. Met een zucht kruipt hij uit zijn slaapzak. In het stikdonker sleept hij zijn spullen naar het andere slaapcompartiment. Het luchtbed van zijn vader schuift hij aan de kant. Als hij eindelijk ligt, kan hij de slaap niet vatten. De gebeurtenissen van de dag spoken telkens weer door zijn hoofd. Die hele toestand bij de kassa toen bleek dat Max gestolen had. Hun opsluiting in het kantoortje en hun ontsnapping daaruit. Was dat wel slim? Hadden ze niet beter gewoon op de politie kunnen wachten en proberen uit te leggen wat er met hen aan de hand was? Ze hadden op het politiebureau toch wel iemand die Nederlands sprak, of desnoods Engels? Maar die kans hadden ze door hun ontsnapping verknald, en ergens bellen konden ze ook wel vergeten. In het dorp konden ze zich niet meer vertonen. Morgen wist iedereen daar natuurlijk dat er zich ergens in de omgeving drie winkeldiefjes met een hond verstopt hielden.

Maar wat moesten ze dan? Ze konden hier toch niet nóg een dag in de tent blijven zitten? Ze hadden nog eten voor morgenochtend, dan was alles op en geld hadden ze ook niet meer. De wanhoop grijpt hem opeens bij zijn keel. Is er dan niemand die hen kan helpen?

Opeens moet Marnix aan de mensen van de moestuin denken. Ze leken hem aardig. Maar zouden ze dat ook zijn als ze wisten dat zij die tomaten en worteltjes hadden gepikt? Hij ziet het omgewoelde wortelbed weer voor zich. De schoenafdrukken van Max en de pootafdrukken van Pluto waren overal. Ze konden niet ontkennen dat ze daar waren geweest. Marnix krijgt het er warm van. Ze zouden Pluto er de schuld van kunnen geven... en die tomaten en appels dan? Maar misschien hadden ze die nog niet gemist.

Marnix gaapt. Ze zullen wel zien hoe het morgen gaat. Hij draait zich op zijn zij en sluit zijn ogen, maar meteen opent hij ze weer.

Stel je voor dat die mensen hebben gehoord van de winkeldiefstal? Dan kunnen ze het helemaal wel vergeten. Hopelijk weten ze nog van niets. Hun huis ligt zo afgelegen. Maar morgen gaat het verhaal natuurlijk als een lopend vuurtje. Daarom moeten ze maar vroeg vertrekken. Hoe eerder, hoe beter. De gedachte geeft hem rust en als een blok valt hij in slaap.

14. Ik kan het uitleggen...

Marnix kreunt en probeert zijn ogen te openen. Hij herinnert zich vaag hoe zijn vader een tegenligger probeerde te ontwijken en dat de auto daardoor in een slip raakte. Ook weet hij nog hoe ze over de kop sloegen. Maar wat er daarna is gebeurd weet hij niet meer. Hij weet alleen dat hij bekneld zit. Er drukt iets op zijn borst waardoor hij niet goed kan ademen. 'Pap?' weet hij er moeizaam uit te brengen.

Er komt geen antwoord.

Terwijl hij het gewicht van zich af probeert te duwen voelt hij opeens hoe er iemand een natte doek over zijn gezicht haalt. Ligt hij soms in het ziekenhuis? Als hij zijn ogen opendoet, kijkt hij recht tegen de snuit van Pluto aan. De hond ligt bovenop hem. Het duurt even voordat Marnix begrijpt dat hij gedroomd heeft. Mopperend duwt hij Pluto van zich af en veegt dan met een punt van zijn slaapzak zijn gezicht af.

Naast hem ligt Pluto hem verwachtingsvol aan te kijken.

'Wat doe jij op paps slaapzak?' vraagt hij streng.

'Is Pluto bij jou?' klinkt de stem van Max opeens vanachter de scheidingswand.

'Ja, hij maakte me wakker.'

'Volgens mij moet hij uit,' zegt Max.

Marnix tuurt op zijn horloge, maar hij kan de wijzers niet onderscheiden. 'Het is nog niet eens licht buiten,' zegt hij. 'Pluto kan heus nog wel even wachten.'

'Als jij nodig moet, dan ga je toch ook?' moppert Max.

'Ja, dat klopt, maar ik laat mezelf uit.' Marnix grinnikt. 'Pluto kan toch gewoon de tent uit gaan als hij moet plassen?'

'Maar de rits zit dicht.'

'Dan doe je die toch open?'

'En als hij niet meer terugkomt?'

'Dat doet hij heus wel. Hij krijgt eten van ons.'

Het blijft even stil aan de andere kant van het tentdoek. 'Dan ga ík hem wel uitlaten,' zegt Max opeens.

Marnix hoort hoe zijn broertje de rits van zijn slaapzak opendoet. Hij is te duf om ertegenin te gaan.

'Trek wat aan,' hoort hij Myrthe zeggen. 'Het is koud buiten.'

'Je lijkt mama wel,' zegt Max een beetje zuur.

'Hmm,' bromt Myrthe alleen.

Een paar minuten later klinkt het geluid van de rits van de buitentent. Marnix geeuwt. Eigenlijk zou hij er ook uit moeten, want hij wilde vroeg op pad gaan, maar zijn slaapzak is zo lekker warm. Even nog, denkt hij...

Als hij zijn ogen opent is het al licht. Verschrikt kijkt hij op zijn horloge. Kwart over negen? 'Waarom hebben jullie me niet wakker gemaakt,' roept hij.

'Huh?' reageert Myrthe slaperig.

'Zijn jullie weer in slaap gevallen?' vraagt Marnix ontstemd.

'Jij toch ook?' antwoordt Myrthe vinnig. 'Is Max bij jou?' vraagt ze na een korte stilte.

Marnix komt overeind en kijkt om zich heen. 'Nee, hier is hij niet.' Hij luistert even of hij zijn broertje buiten hoort, maar alles is stil. 'Max, waar zit je?' roept hij. Er komt geen antwoord. Haastig begint hij zich aan te kleden. Even later staat hij buiten. De hemel is zwaarbewolkt en er hangen nevelslierten boven het veld. Ook moet het vannacht geregend hebben, want de grond voor de tent is doorweekt. Marnix rilt. Max is nergens te bekennen en Pluto ook niet. 'Max!' roept hij zo hard als hij kan. De stilte die erop volgt lijkt nog dieper dan ervoor.

Myrthe komt ook naar buiten. Ze zet de capuchon van haar jack op en begraaft haar handen onder haar armen.

'Waar is dat joch nu weer?' moppert Marnix om zijn ongerustheid te verbergen.

'Hij zal toch niet verdwaald zijn?' vraagt Myrthe ongerust.

'Dat kan ik me niet voorstellen. Hij heeft Pluto bij zich en die wist gisteren beter de weg naar de tent dan wij.'

'En als Pluto nu eens terug is naar zijn baas?'

Marnix schudt zijn hoofd. 'Dat geloof ik niet. Hij komt heus wel terug, want hij is gek op Max.'

'En Max op hem.'

Marnix knikt. Hij tuurt het pad af naar allebei de kanten, maar de mist beperkt het zicht.

'Hij hoopt er natuurlijk op dat hij Pluto mag houden,' gaat Myrthe verder, 'maar dat wil mama vast niet, zeker niet nu zij en papa aldoor ruzie hebben. Papa zou misschien nog wel...'

'Sst,' sist Marnix opeens. Heel in de verte meent hij de stem van zijn broertje te horen. 'Max,' schreeuwt hij met zijn handen als een toeter voor zijn mond. Tot zijn opluchting roept Max iets terug, maar hij is niet te verstaan.

'Wat zou er zijn?' vraagt Myrthe.

Marnix geeft geen antwoord en begint in de richting van het geluid te rennen. Opeens ziet hij zijn broertje uit de nevelslierten opdoemen.

Half struikelend komt Max op hem toe gelopen. Hij huilt. 'Pluto is weg,' roept hij. 'Hij ging opeens ergens achteraan.' Als hij vlakbij is, gaat hij verder. 'Ik riep dat hij terug moest komen, maar hij kwam niet.' Hij veegt de tranen van zijn wangen. Er blijven een paar donkere vegen achter. 'Ik heb echt overal gezocht, maar ik zie hem nergens. Straks is er wat met hem gebeurd.'

Marnix legt troostend een arm om zijn schouder. 'Wees maar niet bang. Pluto weet zichzelf heus wel te redden. Dat heeft hij voordat hij bij ons kwam ook gedaan.'

'Ja, maar hij heeft nog niet gegeten.'

'Dat bedoel ik juist. Misschien is hij achter een konijn of een haas aan en dan komt hij straks gewoon weer terug.'

'Denk je?' Hoopvol kijkt Max hem aan.

Marnix knikt geruststellend. Opeens beseft hij dat hij Pluto vreselijk zal missen als hij niet terugkomt. In die korte tijd is hij aan de hond gehecht geraakt. Hij besluit het probleem even van zich af te zetten. 'Laten we maar gaan ontbijten,' zegt hij. Onder het eten vertelt hij van zijn plan om naar de mensen van de moestuin te gaan en te vragen of ze mogen bellen.

'Dan blijf ik wel hier,' zegt Max. 'Ik wil op Pluto wachten.'

Marnix schudt zijn hoofd. 'Nee, je gaat mee. Ik laat je hier niet alleen achter.'

'Maar als Pluto terugkomt, dan weet hij niet waar we zijn gebleven,' piept Max.

'Je dúrft gewoon niet mee,' zegt Myrthe. 'Je bent bang dat ze willen weten wie die worteltjes en tomaten...'

'We zeggen gewoon dat Pluto het heeft gedaan,' kapt Marnix haar af.

'Pluto is er niet,' zegt Max.

Marnix is even uit het veld geslagen. Wat moeten ze nu? 'Nee, we gaan,' zegt hij opeens vastberaden. 'Als we nog langer wachten zijn die mensen misschien weer ergens heen. We zien wel wat ervan komt.'

'En Pluto dan?'

'Die komt heus wel achter ons aan. En eet je boterham nu maar op, want we zijn al veel te laat.'

Max sputtert nog wat tegen, maar als ze vertrekken gaat hij zonder morren mee. Wel kijkt hij telkens om. Hoe verder ze zich van de tent verwijderen, hoe verdrietiger Max wordt. Als Marnix zijn broertje probeert te troosten, schudt die narrig zijn arm van zijn schouders.

Door de regen is het pad zompig geworden. Ze moeten uitkijken waar ze lopen, willen ze niet uitglijden of tot hun enkels in de modder wegzakken. Als ze eindelijk bij de kruising aankomen, klinkt er opeens een kort geblaf achter hen.

Met een ruk draait Max zich om. 'Pluto!' roept hij, 'waar was je!' Even later springt de hond zo enthousiast tegen hem op dat hij achterovervalt.

Als hij weer overeind is gekrabbeld bekijkt Myrthe hem misprijzend. 'Zo kunnen we niet bij die mensen aankomen,' zegt ze. 'Van achteren zit je onder de modder.' Ze probeert de viezigheid van zijn jack te vegen, maar ze maakt het alleen maar erger.

'Laten we nou maar opschieten,' zegt Marnix. 'Van voren is hij schoon en als hij zich niet omdraait, zien die mensen er niets van.'

Een kwartiertje later staan ze voor het hek waarachter het huis met de moestuin ligt.

Marnix drukt de klink naar beneden. Het zit nog steeds op slot. 'Ik hoop niet dat ze weer niet thuis zijn,' zegt hij.

'Wat moeten we dan?' vraagt Myrthe.

'Laten we eerst maar eens bij het huis gaan kijken.'

Een ogenblik later staan ze aan de andere kant van het hek. Marnix maakt het koord aan Pluto's halsband vast en zwijgend begeven ze zich op weg. Als het huis in zicht komt, knijpt de teleurstelling Marnix' keel dicht. Het ligt er net zo verlaten bij als de vorige keer.

'De rommel bij het kraantje is weg,' zegt Max. 'En de gieter staat ook op een andere plek.'

Marnix ziet het nu ook.

'Wat nu?' vraagt Myrthe.

Marnix zucht. 'Gewoon maar aanbellen.'

Terwijl ze naar de voordeur lopen repeteert hij nog even wat hij moet zeggen voor als er wordt opengedaan. Even later trekt hij aan de bel. Het geluid galmt door het huis, maar alles blijft stil.

'Ze zijn er niet,' fluistert Myrthe.

Ze staat op het punt van huilen, ziet Marnix. Net wil hij voor de tweede keer aanbellen, als hij gestommel hoort en een mannenstem die verbaasd iets roept. Dan gaat de deur open. De man die hen aansprak toen ze bramen stonden te plukken, neemt hen verbaasd op.

Marnix mompelt iets van een groet en maakt het gebaar van een telefoon aan zijn oor. 'Zouden we misschien even mogen opbellen, meneer?' vraagt hij zo beleefd mogelijk.

De man aarzelt even, dan draait hij zich om. 'Maria,' roept hij, 'kom eens.'

Marnix mond zakt open. 'U spreekt Nederlands,'

zegt hij verbluft.

De man schudt zijn hoofd. 'Beetje maar,' zegt hij met een zwaar accent. 'Mijn vrouw is Nederlandse.'

Er springen tranen van opluchting in Marnix' ogen. Nu kunnen ze alles uitleggen. Nu kunnen ze mam bellen. Opeens weet hij dat alles goed komt.

Er is wat gestommel op de trap en een ogenblik later komt de vrouw die ook in de auto zat erbij staan. 'Hé, wat doen jullie hier?' vraagt ze vriendelijk. 'Als ik had geweten dat jullie Nederlands spraken dan...' Midden in de zin houdt ze op en fronst.

Marnix aarzelt even dan besluit hij maar meteen met de deur in huis te vallen. 'Neemt u ons niet kwalijk dat we zomaar bij u aanbellen,' zegt hij, 'maar we zijn onze vader kwijtgeraakt tijdens het wandelen en we kunnen ook de auto niet meer terugvinden en nu wilden we vragen of we even mogen opbellen.'

De vrouw zegt niets, maar neemt hen een voor een scherp op. Haar blik blijft bij Pluto hangen. 'Zijn jullie soms toevallig die kinderen die gisteren in de supermarkt hier verderop zijn geweest?' vraagt ze opeens.

Marnix slikt. Ze heeft het dus gehoord... Ontkennen heeft geen zin meer. 'D...dat waren wij, ja,' stamelt hij, 'm...maar ik kan het uitleggen. We...'

'Zijn jullie soms ook in onze moestuin geweest?' onderbreekt ze hem.

Marnix voelt hoe het bloed naar zijn hoofd stijgt.

De vrouw kijkt hen hoofdschuddend aan. 'Dat jullie een paar tomaten plukken vind ik niet zo erg,' gaat ze verder, 'maar waarom moesten jullie ook het bed met worteltjes vernielen?'

'Dat heeft Pluto gedaan,' zegt Marnix haastig.

Haar blik gaat naar de hond. 'Ik vind het wel érg makkelijk om jullie hond daar de schuld van te geven,' zegt ze.

Max begint zachtjes te huilen.

'Het is echt zo!' zegt Marnix opeens fel. 'Pluto had ook honger, net als wij, en toen begon hij zelf worteltjes uit te graven.'

'Honger?' Verbaasd trekt de vrouw haar wenkbrauwen op.

Marnix knikt. Opeens besluit hij om haar de waarheid maar te vertellen. 'Ons eten was op en we hadden een vreselijke dorst, want we hadden de hele dag nog niets gedronken. En toen kwamen we bij dit huis, maar er deed niemand open en...'

'We waren naar de kerk,' valt de vrouw hem in de rede, 'en daarna zijn we naar vrienden gegaan.'

'We hebben een hele tijd voor de deur zitten wachten,' gaat Marnix verder, 'en toen ontdekten we de kraan naast het huis...'

'Die heeft Pluto ontdekt,' zegt Max door zijn tranen heen.

De vrouw glimlacht even.

Max wrijft verwoed in zijn ogen. 'En toen nam Pluto me mee naar de moestuin en daar begon hij worteltjes uit te graven en toen zag ik die tomaten...'

De vrouw is even sprakeloos. 'Maar waar zijn jullie ouders dan?' vraagt ze.

'Dat wilde ik u nu net uitleggen,' zegt Marnix. Hij

weifelt even over wat hij precies zal vertellen. Hij wil eerlijk zijn, maar met de ruzies thuis heeft ze niets te maken. 'Mijn vader wilde een weekje met ons gaan kamperen,' begint hij. 'Mijn moeder kon niet mee, want ze kon geen vrij krijgen van haar werk. Toen vrijdag de school uitging, kwam pap ons ophalen, maar hij wilde niet zeggen waar we heen gingen. Het was een verrassing, zei hij. Pas 's avonds stopte hij. We waren midden in een bos. Daar hebben we toen de tent opgezet.'

'Dus jullie staan niet op een camping?' onderbreekt de vrouw hem.

Marnix schudt zijn hoofd. 'Mijn vader vindt het leuk om in het wild te kamperen. In Zweden hebben we dat ook een paar keer gedaan.'

'En waar is je vader dan nu?'

'Dat weten we niet. Hij is zaterdagochtend met de auto weggegaan om boodschappen te doen en nog wat andere dingen te kopen, maar hij kwam maar niet terug...' Opeens zit er een brok in Marnix' keel. 'We zijn bang dat hem iets is overkomen,' kan hij nog net uitbrengen.

'Zaterdagochtend?' De vrouw fronst. 'Dus jullie zitten al meer dan drie dagen op je vader te wachten.'

Marnix knikt. 'We zijn zaterdagmiddag nog naar hem op zoek gegaan. We dachten dat zijn auto misschien in de modder was blijven steken, maar dat was niet zo. Toen zijn we maar teruggegaan naar de tent.'

'Waarom zijn jullie niet naar de politie gegaan?'

'We dachten dat pap wel terug zou komen.'

'Maar gisteren dan?'

Marnix slaat zijn ogen neer. Zou de man van de supermarkt soms niet verteld hebben dat hij de politie erbij heeft gehaald? Hij denkt nog na over een antwoord, maar Max is hem voor.

'We waren wel van plan om naar de politie te gaan,' zegt hij, 'maar toen kwamen we langs die supermarkt en we hadden nog niets gegeten en we hadden honger enne...'

'Hadden jullie geen geld bij je?' De vrouw kijkt hem vragend aan.

Max knikt. 'Jawel, een paar euro en daarvan moesten we ook nog eten voor Pluto kopen.'

De blik van de vrouw gaat even naar haar man. 'Is die hond dan van jullie?'

'Ja,' zegt Max.

'Nee,' zegt Marnix. 'Hij is niet van ons.'

'Welles,' zegt Max. 'Hij kwam bij ons aanlopen en toen hebben we hem eten gegeven. Ik heb ook een naam voor hem bedacht. En vannacht heeft hij bij ons in de tent geslapen. Dus nu is hij van ons.'

'Dus jullie hebben de hond gevonden,' stelt de vrouw vast.

'Hij heeft ons gevonden,' verbetert Myrthe haar.

De vrouw glimlacht weer. Dan wendt ze zich tot haar man die nog steeds naast haar staat en begint in de taal die ze al eerder gehoord hebben tegen hem te praten. Marnix begrijpt dat ze het heeft over wat ze haar hebben verteld. Tot slot kijkt ze haar man vragend aan. Die knikt kort.

'Komen jullie maar binnen,' zegt ze, 'dan krijgen jullie eerst wat te eten en te drinken. Daarna zullen we kijken wat we het beste kunnen doen om jullie vader op te sporen.'

Pluto glipt langs Marnix' benen de hal in, maar de vrouw zegt er niets van. Ze hangt hun jacks aan de kapstok en gaat hen voor naar een gezellige woonkamer die uitkijkt op de tuin. Ze mogen plaatsnemen op een grote leren bank. Marnix drukt op Pluto's rug en zegt dat hij moet gaan liggen, maar Pluto wil niet. Hongerig kijkt hij naar een koektrommeltje dat open op de salontafel staat.

'Geef hem er maar een,' zegt de vrouw, 'en neem er zelf ook een, en je broertje en zusje ook natuurlijk.' Terwijl ze alle drie een koekje nemen, overlegt ze zachtjes met haar man. 'Ik ga nu even naar de keuken om wat boterhammen en iets te drinken voor jullie klaar te maken,' zegt ze opeens. 'Intussen zal mijn man de politie bellen. Die weet...'

'Nee, geen politie!' roept Marnix. Het is eruit voordat hij het weet.

De vrouw knikt. 'Ik begrijp dat jullie de politie liever ontlopen, na wat jullie gedaan hebben, maar daar zullen jullie toch wel behoorlijk voor op je kop hebben gehad?'

Marnix schudt zijn hoofd.

'Niet?' vraagt de vrouw verbaasd.

'Nee.' Met neergeslagen ogen vertelt hij wat er allemaal in de supermarkt is gebeurd en hoe ze later uit het kantoortje zijn ontsnapt. 'Het was natuurlijk stom van ons,' besluit hij zijn verhaal, 'maar die baas van de supermarkt had de politie gebeld en...'

'En we waren bang dat we naar de gevangenis moesten,' vult Max zijn zin aan.

De vrouw schudt haar hoofd. 'Als ik het zo hoor, zitten jullie behoorlijk in de problemen,' zegt ze.

Ze knikken alle drie.

'Vandaar dat we liever niet hebben dat u de politie belt,' zegt Marnix. 'Later misschien, maar eerst wil ik graag mijn moeder bellen. Misschien heeft zij iets over mijn vader gehoord.'

De vrouw aarzelt een moment, maar dan geeft ze hem toch de telefoon.

15. Gemene mannen

'Wat was het nummer ook alweer?' vraagt Marnix aan Myrthe.

'06, dan mijn leeftijd en dan...'

'Je moet voor Nederland eerst 0031 intoetsen,' zegt de vrouw, 'en dan alleen de 6 gevolgd door het nummer.'

Marnix kijkt verbluft naar Myrthe. 'Dus daarom deed die telefoon het niet in dat café.' Haastig toetst hij het nummer in. Een hele tijd hoort hij niets, dan opeens gaat de telefoon over.

'Met Marion de Jong,' hoort hij zijn moeder opeens zeggen. Haar stem klinkt een beetje buiten adem.

'Mam,' zegt hij, dan begeeft zijn stem het en kan hij geen woord meer uitbrengen.

'Marnix! Waar zit je?'

Hulpzoekend kijkt hij van de man naar de vrouw. Net wil hij vragen naar de naam van het dorp, als zijn moeder het aan de andere kant van de lijn niet langer uithoudt.

'Marnix, zeg wat!' roept ze angstig. 'Waar ben je?'

'Ik sta hier bij mensen thuis te bellen,' begint hij, maar opnieuw is het of zijn keel dicht zit.

'Zijn Max en Myrthe bij je?'

'Ja,' kan Marnix alleen nog maar uitbrengen.

Er klinkt een snik aan de andere kant van de lijn. 'Ik heb zo vreselijk in angst gezeten om jullie.'

Marnix knikt, maar meteen begrijpt hij dat zijn moeder dat niet kan zien. Daarom zegt hij: 'We hebben aldoor geprobeerd om je te bellen, want...'

'Hoe is het met Max en Myrthe?' onderbreekt zijn moeder hem.

Blijkbaar heeft mam niets van pap gehoord, anders had ze dat wel meteen gezegd. Manmoedig probeert hij zijn tranen de baas te blijven.

'Marnix, zeg dan toch wat!' klinkt het in zijn oor.

'Max en Myrthe staan hier naast me,' snikt hij opeens. 'Maar pap is weg. Al drie dagen. We zijn zo bang dat er iets met hem is gebeurd en...' Opeens dringt het tot hem door dat zijn moeder weer tegen hem praat.

'Stil nou even! Ik ben bij papa! Je hoef je geen zorgen over hem te maken. Maar waar zijn jullie? De politie is overal naar jullie op zoek.'

Marnix houdt van schrik op met huilen. Weet mam van de winkeldiefstal? Dat kan toch niet? Of zou de politie haar gebeld hebben? Maar hoe kwam de politie dan aan hun naam en aan hun telefoonnummer? Die man van de supermarkt...

'Ben je daar nog?' vraagt zijn moeder.

'J...ja,' hakkelt hij. Dan ziet hij de gespannen gezichten van Max en Myrthe. Hij knikt geruststellend naar hen. 'Papa is thuis,' zegt hij zijn hand losjes over de telefoon houdend. 'Mama is bij hem.'

Myrthe begint te huilen.

'Stil nou maar,' zegt Max troostend. 'Ik zei het toch? Hij kon de tent niet meer vinden en toen is hij maar naar huis gegaan.'

'Nee, papa is niet thuis,' hoort Marnix zijn moeder er dwars doorheen zeggen.

'Hè? Waar is hij dan?'

'Je moet niet schrikken,' gaat zijn moeder verder, 'maar papa ligt in het ziekenhuis.'

'Wat is er dan met hem?'

'Dat is een heel verhaal. Het gaat nu gelukkig goed met hem, maar de doktoren maakten zich eerst wel zorgen. Toen hij...'

'Wat is er dan met hem gebeurd?' valt Marnix haar in de rede. 'Heeft hij soms een ongeluk...' Hij zwijgt abrupt als hij de verschrikte ogen van Max en Myrthe ziet.

'Nee, hij heeft geen ongeluk gehad,' antwoordt zijn moeder. 'Hij is overvallen bij een pinautomaat. Twee mannen wilden hem zijn geld afhandig maken. Maar je kent je vader: die laat zich niet op zijn kop zitten. Een getuige heeft gezien dat hij zich als een leeuw verdedigde, maar tegen twee overvallers kon hij niet op. Ze hebben hem bewusteloos geslagen.' Het blijft even stil aan de andere kant van de lijn.

'En toen?' vraagt Marnix.

'Iemand heeft een ambulance gebeld en papa is naar het ziekenhuis gebracht. Daar hebben ze zijn wenkbrauw gehecht, hij had ook nog een wond op zijn achterhoofd.'

'Dus het valt mee,' zegt Marnix.

'Nou, ja...' Mam aarzelt. 'Je vader had een fikse hersenschudding en toen hij bijkwam wist hij zich niets van de overval te herinneren.'

Marnix moet het even tot zich door laten dringen. 'Heeft hij de politie niet verteld dat wij in het bos op hem zaten te wachten?' vraagt hij dan.

Het duurt even voordat mam antwoordt. 'Dat herinnerde hij zich ook niet meer. Zelfs zijn eigen naam wist hij niet meer. Op zondagochtend heeft de politie zijn auto gevonden en zo hebben ze ons adres achterhaald. Ik heb ze toen verteld dat papa met jullie weg was gegaan en ook een tent had meegenomen. Toen zijn ze weer met hem gaan praten, maar hij kon zich er niets meer van herinneren.'

'Herinnert pap zich ons ook niet meer?' vraagt Marnix verschrikt.

'Jawel.' In de stem van zijn moeder klinkt een geruststellend lachje door. 'Hij is alleen een stukje van zijn geheugen kwijt. Hij kan zich nog herinneren dat hij jullie van school heeft gehaald om op vakantie te gaan, de rest is vaag. Maar het begint langzaam weer terug te komen. De dokter zegt dat het weer helemaal goed komt. Misschien dat hij zich alleen het stukje van de overval niet meer zal kunnen herinneren, maar dat kan hem niet schelen, zegt hij zelf. Hij ligt nu te slapen. Dat doet hij veel en...'

'Mam, waar ben jij eigenlijk?' valt Marnix haar in

de rede.

'Bij je vader in het ziekenhuis.'

'Waar?'

'Hier in Luxemburg-stad.'

Marnix is even sprakeloos. 'Ik dacht dat je in Nederland zat.'

'Nee, zodra ik hoorde wat er gebeurd was, heb ik oom Frans gebeld en zijn we met zijn auto naar Luxemburg gereden.'

Marnix hoort op de achtergrond oom Frans iets zeggen.

'Oom Frans en ik komen nu meteen naar jullie toe,' zegt zijn moeder opeens. 'Zou je aan die mensen willen vragen of jullie daar zolang mogen blijven? Maar dan moet ik wel weten waar jullie zitten.'

'Ik weet niet hoe het hier heet, maar ik zal het vragen.'

Terwijl hij het zegt, steekt de vrouw haar hand naar de telefoon uit. 'Geef mij je moeder maar even,' zegt ze.

De naam van het dorp ontgaat Marnix, want haar man houdt een dienblad met boterhammen erop voor zijn neus. Nu pas voelt hij dat hij rammelt van de honger. Met een dankbaar lachje neemt hij er een boterham vanaf en zet er meteen zijn tanden in. Terwijl hij eet, luistert hij oplettend naar het gesprek. Als de vrouw maar niet vertelt over de wortels en tomaten die ze uit de moestuin hebben gestolen, of over de winkeldiefstal en de politie die naar hen op zoek is. Maar ze vraagt alleen hoe het met papa is. Terwijl ze aandachtig luistert, dwalen haar ogen zo nu en dan in hun richting.

'Ik begrijp het,' hoort Marnix haar opeens weer zeggen. 'Ja, dat is goed, maar het huis is wat moeilijk te vinden. Ik zal u ons telefoonnummer geven, dan kunt u ons bellen zodra u in de buurt bent.'

Max springt overeind. 'Komt mama hierheen?' roept hij.

Marnix knikt, maar legt tegelijk een vinger op zijn lippen.

De vrouw legt zijn moeder uit hoe ze het beste kan rijden. 'Als u het dorp binnenrijdt,' zegt ze, 'is er een benzinepomp. Mijn man wacht u daar op. Hij heeft een donkerrode Volvo. U kunt dan achter hem aan rijden. Het is hooguit tien minuten naar ons huis.' Dan kijkt ze naar Marnix. 'Wil jij je moeder nog spreken?' vraagt ze.

Hij krijgt geen kans om te antwoorden, want Max is hem voor. 'Mag ik mama even?'

Ze geeft hem de telefoon.

'Hoe lang duurt het voordat je hier bent?' vraagt Max. Hij luistert. 'Zo lang?' zegt hij teleurgesteld. Opnieuw luistert hij. 'O, leuk. Dan kan oom Frans zien waar we gekampeerd hebben. Maar wat is er nou met papa?'

Marnix ziet zijn broertje naar hem kijken. Hij begrijpt dat mam gezegd heeft dat híj het maar moet vertellen.

'Geef mij mam nog even,' zegt Marnix.

Max schudt zijn hoofd. 'Ze wil Myrthe eerst aan de telefoon hebben.'

Hij is nog niet uitgesproken of Myrthe heeft het toestel al uit zijn hand gegrist. 'Mama,' zegt ze alleen. Dan loopt ze de kamer uit.

'Maak het niet te lang,' roept Marnix haar nog achterna, maar ze hoort hem al niet meer.

'Laat haar maar even,' zegt de vrouw. 'Willen jullie nog wat drinken?' vraagt ze op de lege glazen wijzend.

'Graag, mevrouw.' Marnix heeft nog steeds een vreselijke dorst.

'Zeg maar Maria, hoor,' zegt ze. 'En mijn man heet Louis. Hij verstaat wel wat Nederlands, maar spreken gaat nog niet zo goed.' Ze lacht lief naar hem.

Ze verdwijnen allebei naar de keuken.

'Wat is er nu precies met pap gebeurd?' vraagt Max.

Zonder eromheen te praten vertelt Marnix wat hij weet.

Even later komt Maria de kamer weer binnen met nog meer boterhammen en drinken. Als ze het dienblad voor hen op tafel zet, ziet Marnix dat er ook een paar hondensnoepjes op liggen. 'Zijn die voor Pluto?' vraagt hij voor de zekerheid.

'Ik heb helemaal vergeten om mama van Pluto te vertellen,' zegt Max opeens verschrikt.

'Ze ziet de hond vanzelf als ze hier komt,' zegt Marnix. Hij neemt een glas van het dienblad en drinkt het achterelkaar leeg.

'Ik hoop dat mama hem lief vindt,' zegt Max.

'Waar hebben jullie het over?' vraagt Myrthe die net

de kamer weer binnenkomt.

'Over Pluto,' zegt Marnix. 'En dat we hem eigenlijk wel willen houden.'

Myrthe trekt haar wenkbrauwen op. 'Misschien is hij wel van iemand.'

Maria schudt haar hoofd. 'Hij zwerft hier al een hele tijd rond. Iemand uit het dorp zegt gezien te hebben dat hij uit een auto werd gezet. De dierenbescherming heeft al een paar keer geprobeerd om hem te vangen, maar hij is hen telkens te vlug af. Ook ik heb het geprobeerd. Een week of twee geleden liep hij hier door de tuin. Hij was erg mager en ik dacht hem wel met eten te kunnen lokken, maar hij liet zich gewoon niet pakken. Daarom waren we zo verbaasd, toen we jullie met de hond zagen lopen.'

'Hij vertrouwde ons gewoon,' zegt Max. 'En als hij van niemand is, dan is hij nu van ons,' voegt hij eraan toe.

'Laten we nu eerst maar afwachten wat mam ervan vindt,' zegt Marnix.

Max zegt niets meer.

Zwijgend eten ze de rest van hun boterhammen op.

'Ik stel voor dat jullie je zo even wat opknappen,' zegt Maria als alles op is, 'want als jullie moeder jullie zo ziet...'

Marnix kijkt naar Max en Myrthe. Het gezicht van zijn broertje zit onder de vieze vegen en zijn haar staat recht overeind van het vuil. Zijn zusje heeft wat weg van een zwerfster. Haar nagels hebben rouwrandjes en haar kleren zijn gekreukt. Zelf ziet hij er waarschijnlijk niet veel beter uit.

'Ik zal in de badkamer een paar badlakens klaarleggen,' gaat Maria verder, 'dan kunnen jullie je douchen.'

'Maar dat hoeft echt niet mevrouw... eh... Maria,' verbetert Marnix zichzelf. 'Als we alleen maar even ons gezicht en onze handen kunnen wassen...'

Maria schudt haar hoofd. 'Jullie hebben genoeg ontberingen geleden en van een lekkere warme douche knap je op. Wie wil er als eerste?'

Ze kijken elkaar even aan.

'Ik ga wel eerst,' zegt Myrthe.

Marnix kan nu niet meer weigeren. 'Dan gaan Max en ik daarna wel samen,' zegt hij.

Terwijl Maria met Myrthe naar boven gaat, komt Louis de kamer weer in. Hij zet de borden en de glazen op het dienblad en verdwijnt ermee naar de keuken.

Marnix laat zich achteroverzakken op de bank en luistert naar de geluiden in het huis. In de keuken is Louis met de glazen aan het rommelen en boven hoort hij de stem van Myrthe. Zijn ogen dwalen door de kamer. Hij is heel anders dan die van thuis, maar wel gezellig. Op een kastje staan een aantal foto's. Op een ervan staat Louis met zijn armen om twee jongens heen geslagen. Blijkbaar is het een oude foto, want hij ziet er een stuk jonger uit. Marnix staart naar buiten. Zo'n foto is er ook van zíjn vader. Mam heeft die vorig jaar ergens bij een meer in Zweden genomen. Pap staat in het midden met zijn armen om Max en hem heen en

Myrthe leunt met haar rug tegen paps benen aan. Zou het ooit weer zo worden als toen?

Marnix schrikt op uit zijn gedachten als Maria de kamer weer binnenkomt. 'Je zusje staat onder de douche,' zegt ze. 'Als ze beneden komt, kunnen jullie.' Ze gaat zitten.

Op een of andere manier weten ze geen van drieën iets te zeggen. Naarstig zoekt Marnix naar een onderwerp. Dan valt zijn oog op de foto van een hond. 'Is dat uw hond?' vraagt hij.

Maria knikt. 'Dat wás onze hond,' zegt ze. 'Vorig jaar hebben we hem in moeten laten slapen. Hij was ziek en kon niet meer beter worden.'

'Wat naar,' zegt Marnix. 'Hoe oud was hij?'

'Ruim dertien.'

Op dat moment komt Louis de kamer weer binnen met een plak leverworst in zijn hand. 'Mag hij hebben?' vraagt hij met een knikje naar Pluto.

'Van mij wel,' antwoordt Marnix.

In één hap schrokt Pluto de worst naar binnen.

'Hij heeft honger,' zegt Max.

Louis kijkt vragend naar Maria. Blijkbaar vertaalt ze niet alleen wat Max heeft gezegd, want ze praat verder. Ondertussen dwalen haar ogen een paar maal terloops naar de hond.

Plotseling voelt Marnix de warme adem van Max tegen zijn oor. 'Als ze maar niet denken dat zíj Pluto mogen houden,' fluistert hij.

Marnix duwt zijn broertje weg. 'Niet fluisteren,' sist hij, 'dat is niet beleefd.' Hij kijkt naar Louis die opstaat en naar de keuken loopt.

'Mijn man maakt wat te eten voor Pluto klaar,' zegt Maria. 'We hebben nog een restje kip in de koelkast staan en dat mag hij wel hebben.'

'Dat zal hij wel lekker vinden,' zegt Marnix.

Maria gaat er niet verder op door en vraagt op welke school ze zitten. Om vragen over thuis te vermijden vertelt Marnix er uitvoerig over.

Als Myrthe met natte haren de kamer binnenkomt, wijst Maria hem en Max de badkamer. Even later staan ze samen onder de douche.

'Wel een beetje raar, hè, om zomaar bij vreemde mensen onder de douche te gaan,' zegt Max.

Marnix haalt zijn schouders op. 'Ach, wat is raar,' zegt hij. 'Denk maar dat je op een camping bent.'

Ze wassen hun haar en boenen het vuil van dagen van zich af.

'Waarom moest papa eigenlijk al die tijd in het ziekenhuis blijven?' vraagt Max terwijl hij zich afdroogt.

'Omdat de dokter dat beter vond,' antwoordt Marnix.

'Is papa dan zo ziek?'

'Hij is niet ziek, hij heeft een hersenschudding.'

'Komt dat omdat hij met die gemene mannen heeft gevochten?'

Marnix knikt.

'Als ik ze tegenkom dan sla ik ze verrot,' zegt Max opeens heftig.

'Dan doe ik mee,' zegt Marnix.

In hun blootje leveren ze een schijngevecht dat eindigt als Max zijn hoofd tegen de wastafel stoot. Met een pijnlijk gezicht wrijft hij over zijn achterhoofd. 'Heb ik nou ook een hersenschudding?' vraagt hij.

'Als je nog weet hoe je heet, dan valt het wel mee,' zegt Marnix met een scheef lachje.

16. Ze komen toch niet hierheen?

Als ze beneden komen zit Myrthe met een kop soep voor zich aan de eettafel.

'Willen jullie ook?' vraagt Maria. 'Het is tomatensoep. Jullie hebben al zo lang geen warm eten meer gehad.'

'Ja, lekker,' zegt Max.

Marnix heeft er eigenlijk niet zo'n trek in. Er zit een knoop in zijn maag, maar hij durft geen nee te zeggen, want Maria slooft zich zo voor hen uit. Hij moet aldoor aan pap denken. Als hij zich niet eens meer kan herinneren dat hij met hen weg is gegaan, kwam het dan nog wel goed met hem? Marnix is bang dat mam niet alles heeft verteld.

In gedachten lepelt hij even later de tomatensoep naar binnen. Dat pap nu al vier dagen in het ziekenhuis ligt voor een hersenschudding zit hem niet lekker. Zijn vriend Lars was vorig jaar van zijn waveboard gevallen en toen had hij ook een zware hersenschudding. Hij had zich twee dagen rustig moeten houden en daarna mocht hij gewoon weer naar school. Bovendien wist

Lars zich zijn val precies te herinneren. Pap wist zijn naam niet eens meer.

Marnix verslikt zich bijna in zijn soep als opeens de telefoon gaat.

Maria neemt hem op. 'Hallo,' zegt ze alleen. 'O, bent u al bij het benzinestation.'

Louis komt overeind en gebaart dat hij al op weg is.

'Mijn man komt er zo aan,' zegt Maria. 'Over vijf minuten is hij er. Ja. Goed. Tot straks.' Ze verbreekt de verbinding.

Marnix voelt dat er aan zijn mouw wordt getrokken.

'Ik wil graag buiten op mama wachten,' fluistert Max.

'Het duurt nog wel even voordat ze er is,' antwoordt Maria in Marnix' plaats. 'Dus jullie kunnen rustig eerst je soep opeten.'

Een minuut later staan ze buiten. Louis rijdt net weg. In het voorbijgaan steekt hij zijn hand even naar hen op.

'Zullen we bij het hek op mama wachten?' stelt Myrthe voor.

'Ja!' roept Max. 'Kom, Pluto, wie er het eerste is!'

Marnix gebaart dat hij geen zin heeft in een wedstrijdje. Hij kijkt het drietal na tot ze om de bocht van het pad zijn verdwenen en volgt ze dan op zijn gemak. Het duurt toch nog wel even voordat mam en oom Frans er zijn. En dan? Zouden ze meteen mee moeten om naar pap in het ziekenhuis te gaan? Nee, dat zou wel heel onbeleefd zijn tegenover Maria en Louis. Bovendien zal Maria mam en oom Frans eerst wel binnenvragen voor...

Opeens breekt Marnix het zweet uit. Als Maria straks maar niet over de worteltjes en de tomaten begint die ze hebben gestolen. Maar vooral hoopt hij dat ze haar mond houdt over die winkeldiefstal en dat de politie naar hen op zoek is... Dat vertelt hij mam zelf liever een keer.

Als hij bij het hek komt, zijn Max en Myrthe nergens te bekennen. In de verte hoort hij wel hun vrolijke stemmen. 'Waar zijn jullie?' roept hij.

'Hier!' roept Max. 'We lopen ze alvast tegemoet.'

'Kom nou maar terug!' roept Marnix, maar ze geven geen antwoord meer. Hij besluit bij het hek te blijven wachten. Op zijn horloge ziet hij dat het al half twee is. Als ze nog naar pap willen dan mogen ze wel opschieten. Ze moeten nog afscheid nemen van Maria en Louis en voordat ze wegrijden wil hij eerst toch nog wel even schone kleren... Maar die liggen in de tent! En al hun andere spullen ook. Ze kunnen alles toch niet zomaar in het bos achterlaten?

Plotseling hoort hij opgetogen geschreeuw. 'Daar zijn ze! Daar zijn ze!' hoort hij Max gillen.

Kort daarop ziet Marnix de auto van Louis de bocht om komen, even later verschijnt de auto van oom Frans. Naast hem zit mam en op de achterbank ziet hij Max en Myrthe. Pluto draaft er een beetje verloren achteraan.

Oom Frans stopt. 'Stap in,' zegt hij.

Terwijl Marnix naast Max op de achterbank ploft,

draait zijn moeder zich naar hem om en pakt zijn hand. Er lopen tranen over haar wangen, ziet hij. 'Je weet niet half hoe blij ik ben dat ik jullie terugzie,' zegt ze. 'Ik heb zo in angst gezeten.'

Marnix slikt. 'Pap zou alleen maar een uurtje wegblijven, maar hij kwam niet meer terug.' Met geknepen stem gaat hij verder: 'We hadden geen idee wat er met hem was gebeurd. Hoe is het nu met hem?'

'Naar omstandigheden goed,' antwoordt zijn moeder. 'Maar hij mag de komende weken nog niet aan het werk.'

'Je vader heeft behoorlijk wat klappen moeten incasseren,' verduidelijkt oom Frans, 'maar de boeven zijn er ook niet zonder kleerscheuren van afgekomen.' Hij grinnikt. 'De een heeft een gebroken neus en de ander moet een gebitje hebben.'

Marnix glimlacht flauwtjes. 'Hoe weet je dat?'

'Omdat ze zijn gearresteerd. Diezelfde dag nog had de politie ze al te pakken.'

Marnix knikt alleen. De overvallers interesseren hem niet zo; er zijn andere dingen die hij wil weten. Uit het feit dat mam in angst heeft gezeten, blijkt wel dat pap haar niet heeft verteld van zijn plannen. Zou ze erg boos op hem zijn? Hij durft het bijna niet te vragen, maar doet het toch: 'Mam, wist je eigenlijk dat pap ons mee zou nemen op vakantie?'

'Nee,' antwoordt ze alleen.

'Dan was je zeker wel heel ongerust.'

'Ja, wat dacht je. Vrijdagavond heb ik aldoor geprobeerd om jullie te bellen, maar ik kreeg alleen papa's voicemail en jouw telefoon stond uit.'

Marnix overweegt even om te vertellen dat zijn mobieltje in de wc is gevallen, maar dat moet maar een andere keer, want ze zijn er. Als hij uitstapt, springt Pluto enthousiast tegen hem op.

Mam ziet het niet, want ze buigt zich net weer de auto in. Met een grote bos bloemen in haar hand loopt ze een ogenblik later naar Maria.

Van een afstandje kijkt Marnix hoe ze elkaar begroeten. Nu alles op zijn pootjes terecht lijkt te komen, voelt hij zich opeens leeg. Plotseling wordt er een natte snuit tegen zijn hand gedrukt. 'Pluto,' zegt hij zacht. Hij hurkt naast de hond en streelt hem over zijn kop. 'Hoe moet het nu met jou?'

'Kom je ook mee naar binnen?' hoort hij Maria zeggen. 'Ik heb thee gezet.'

Marnix knikt. Haastig knippert hij zijn tranen weg. Samen met Pluto loopt hij even later de huiskamer binnen.

'Wat een leuke hond,' zegt zijn moeder.

'Ja, het is een lief dier,' zegt Maria. Onopvallend geeft ze Marnix een knipoogje.

'Hij heet Pluto,' zegt Max, 'en hij is heel slim, want toen...'

Op dat moment klinkt er ergens de ringtoon van een mobieltje.

'Dat is mijn telefoon,' zegt mam. Ze buigt zich over haar tas en haalt het eruit. 'Het is papa,' zegt ze op het schermpje kijkend. 'Jij wilt de kinderen zeker spreken?' zegt ze tegen hem. Ze reikt Marnix het telefoontje aan.

'Hoi, pap,' is het enige dat hij weet te zeggen.

'Dag, mijn jongen.' De stem van zijn vader klinkt vreemd.

'Hoe gaat het nu met je, pap?'

'Een stuk beter. Morgen mag ik naar huis.'

'O, fijn.' Marnix kijkt naar zijn moeder. 'Met de auto?'

'Ja, mama zou me ophalen. Maar hoe is het met jou en met Max en Myrthe?'

'Goed wel.' Marnix probeert te bedenken wat hij verder zou kunnen zeggen, maar zijn hoofd is leeg.

'Ik heb jullie wel mooi in de steek gelaten, hè,' zegt zijn vader.

Marnix ziet hoe iedereen gaat zitten. Zelf gaat hij wat apart staan. 'Je had ook niet alleen weg moeten gaan,' zegt hij wat kortaf. 'Als wij erbij waren geweest dan hadden die overvallers wel beter uitgekeken.' Hij hoort zijn vader even grinniken en beledigd houdt hij zijn mond.

'Zijn jullie al die tijd bij de tent gebleven?' vraagt zijn vader.

'Nee, hoe kan dat nou?' antwoordt Marnix bozig. 'We hadden toch geen eten?'

Het blijft even stil aan de andere kant van de lijn. 'Nee, dat is zo. Toen ik wegging, was er niet veel meer over.'

'Hoe weet je dat? Mam zei dat je je niets meer herinnerde van voor de overval.'

'Toen ik hier net lag niet, nee, maar het begint allemaal langzaam terug te komen. Ik kan me nu herinneren dat ik boodschappen ging doen, maar verder...'

'Je zou mam ook bellen, zei je. Heb je dat gedaan?'

'Volgens mij niet, anders was ze niet zo ongerust geweest.' Opnieuw zwijgt zijn vader. 'Ik ben stom geweest, Marnix,' gaat hij opeens verder. 'Niet alleen heb ik je moeder verdriet gedaan, ook jullie zijn door mij in een gevaarlijke situatie terechtgekomen. Ik had jullie er niet bij moeten betrekken. Het was beter geweest als ik in mijn eentje een weekje erop uit was getrokken, of net als vorig jaar samen met mama. Maar na die laatste ruzie zag ik het niet meer zitten en in een opwelling besloot ik gewoon met jullie weg te gaan en maar te zien waar we uitkwamen.'

Marnix kijkt met een schuin oog naar de anderen. Hij zou willen dat hij vrijuit kon praten, maar iedereen zit mee te luisteren. Daarom vraagt hij alleen: 'En nu?'

'Mam en ik hebben het uitgepraat. We hadden alle tijd.' Er klinkt een flauw lachje. 'Ik zie nu wel in dat ik behoorlijk overspannen ben geweest. Maar daar gaat verandering inkomen. Ik mag van de dokter voorlopig niet aan het werk. Dat zou ik trouwens niet eens kunnen met die gekneusde ribben.'

'Gekneusde ribben?' herhaalt Marnix. 'Daar heeft mam niets over verteld.'

'Waarschijnlijk omdat ze zich meer zorgen maakte over dat geheugenverlies. Maar alles komt weer goed; ook die gekneusde ribben.' Zijn vader grinnikt. 'Tegen twee van die knapen kon ik blijkbaar toch niet op.'

Marnix lacht maar een beetje. 'Waar bel je eigenlijk

vandaan?' vraagt hij.

'Vanuit het ziekenhuis.'

'Heb je dan telefoon naast je bed?'

'Nee, ik bel met mijn mobieltje.'

'Hè?' Marnix valt even stil. 'Dat was toch leeg?' zegt hij opeens scherp.

Zijn vader zegt even niets. 'Dat zei ik maar,' bekent hij dan.

Hoewel paps stem schuldbewust klinkt, voelt Marnix opeens zo'n enorme boosheid opkomen dat hij geen woord meer kan uitbrengen.

'Mijn telefoontje was wel opgeladen,' gaat pap verder. 'Ik wilde...'

'En je lader?' Marnix gooit de vraag eruit.

'Die zat gewoon in mijn tas. Sorry, dat ik niet eerlijk tegen je was, jongen. Ik wilde op dat moment niet dat je mam belde en...'

Marnix voelt hoe er aan zijn T-shirt wordt getrokken. 'Mag ík papa nou even?' vraagt Max.

Zonder nog een woord tegen zijn vader te zeggen geeft hij het telefoontje aan zijn broertje. Max begint meteen een heel verhaal over hun belevenissen, maar zijn moeder kapt hem af.

'Papa moet nu rusten, Max,' zegt ze. 'Morgen in de auto moet je hem maar alles vertellen.'

'Gaan we vandaag dan niet meer naar hem toe?' vraagt Myrthe.

Mam kijkt op haar horloge. 'Ik weet niet of we het bezoekuur van vanmiddag nog wel halen.'

'Dan gaan we toch vanavond?' Myrthe steekt haar

hand naar het telefoontje uit. 'Geef mij papa nog even,' zegt ze.

Terwijl Myrthe met hem praat, komt Louis de kamer binnen met een schaal vol broodjes. Als eerste mag mam er een afnemen.

'Dat was toch helemaal niet nodig geweest?' protesteert ze, maar Maria wuift haar bezwaren weg.

'Mijn man is, toen hij u op ging halen, even bij de bakker langs geweest,' zegt ze. 'We hebben er dus op gerekend.'

Marnix ziet dat zijn moeder opnieuw tranen in haar ogen krijgt. 'Dat u daaraan gedacht heeft,' stamelt ze. 'U weet niet half hoe dankbaar ik ben dat u mijn kinderen zo liefdevol hebt opgevangen,' gaat ze verder. 'Ik moet alle verhalen nog horen, maar ik heb begrepen dat ze een paar heel zware dagen achter de rug hebben. Mijn man had de kinderen natuurlijk nooit alleen in het bos mogen achterlaten, maar hij kon ook niet voorzien dat hij zou worden overvallen. Als de politie zijn auto niet had gevonden...'

'Weet je wat we helemaal zijn vergeten?' valt oom Frans haar opeens in de rede.

Mam schudt haar hoofd.

'Om de politie te bellen dat de kinderen terecht zijn.'

Marnix' hart staat even stil van schrik. 'Moet dat?' vraagt hij.

'Ja natuurlijk. We kunnen ze toch niet naar jullie laten zoeken terwijl we jullie allang gevonden hebben?'

'Jawel, maar... eh...' schichtig kijkt Marnix naar

Myrthe. 'Kunnen we niet bellen als we thuis zijn?'

Oom Frans schudt zijn hoofd. 'Dat kunnen we niet maken. Trouwens,' vragend kijkt hij naar mam, 'ze zouden vanmiddag toch nog een keer met een helikopter gaan zoeken?'

'Hebben ze met een helikopter naar ons gezocht?' roept Myrthe. 'Dan hebben we die gezien!'

'Wanneer was dat?' vraagt oom Frans.

'Zondag,' antwoordt Marnix. 'Zo tegen vijven. Hij vloog recht over ons heen.'

'Wij hebben hem ook gehoord,' zegt Maria. 'Hij vloog heel laag. We zeiden nog tegen elkaar: die zijn vast op zoek naar een paar criminelen, niet wetende dat ze naar jullie op zoek waren.'

Marnix voelt hoe hij wit wegtrekt. Criminelen... Het klonk even of Maria hen daarmee bedoelde, maar dat was natuurlijk niet zo. Trouwens, zondag waren ze nog niet in de supermarkt geweest...

'Waar heb ik dat telefoonnummer gelaten dat die rechercheur me gegeven heeft?' bromt oom Frans. Hij doorzoekt zijn zakken. 'O, hier is het.' Hij haalt zijn mobiele telefoon tevoorschijn en toetst het nummer dat erop staat in. '*Mit Frans Zegers*,' zegt hij even later. '*Wir haben die Kinder gefunden*.' Hij luistert een poosje. '*Die Adresse? Moment mal*. Ze willen het adres hier weten,' zegt hij tegen Maria.

Ze gebaart dat hij haar zijn mobiel maar even moet geven. Dan begint ze in rap Luxemburgs te praten.

Marnix buigt zich over naar oom Frans. 'Ze komen toch niet hierheen?' fluistert hij benauwd.

'Ik begreep van wel,' antwoordt hij zacht.

'Waarom? Ze weten nu toch dat we gevonden zijn?'

'Ja, dat is wel zo, maar waarschijnlijk willen ze jullie even spreken. Ze zullen wel benieuwd zijn naar jullie verhaal en waar jullie al die tijd hebben gezeten.'

Maria verbreekt de verbinding en geeft het telefoontje aan oom Frans terug. 'Over een halfuurtje zijn ze hier,' zegt ze.

Marnix krijgt het steeds benauwder. De politie heeft blijkbaar nogal haast om hierheen te komen en hij weet precies waarom. Ze willen hen natuurlijk ook spreken over die winkeldiefstal en over hun ontsnapping uit het kantoortje. Daar zullen ze niet blij mee zijn geweest. Zouden ze daar nog straf voor krijgen? Hoe kunnen ze een ontmoeting met de politie voorkomen? Hij kijkt op zijn horloge. Het is al bij tweeën.

Opeens weet hij iets. 'Voordat de politie er is, is het half drie,' zegt hij, 'en dan willen ze natuurlijk van alles weten. Zo halen we het bezoekuur nooit.'

Mam schudt haar hoofd. 'Dat halen we toch niet meer. Als jullie niet te moe zijn, gaan we vanavond wel even.'

'Waar slapen we vannacht eigenlijk?' vraagt Myrthe.

'In het hotel. We hebben voor vannacht een kamer bijgeboekt.'

'De tent!' roept Marnix opeens. 'Hij staat nog in het bos met al onze spullen erin. Wanneer gaan we dat allemaal ophalen?'

'Dat doen we wel als de politie is geweest,' zegt oom Frans.

'Kan dat nu niet?'

'Daar is geen tijd meer voor.'

'Jawel, hoor. We hebben nog een halfuur. Met de auto zijn we er in tien minuten. De tent is in vijf minuten afgebroken en ook de bagage is zo ingepakt.'

Oom Frans moet even nadenken. 'Dat is misschien niet zo'n slecht idee,' zeg hij met een knikje, 'maar dan moeten we wel meteen weg.'

Marnix staat op. 'Komen jullie?' zegt hij tegen Max en Myrthe.

'Ik blijf liever bij mama,' zegt Myrthe.

'Ja, maar...' Marnix probeert haar met zijn ogen duidelijk te maken dat ze beter mee kan gaan, maar ze schudt haar hoofd. Hij haalt zijn schouders op. Dan moet ze het ook zelf maar weten. 'Ga je mee, Max?' vraagt hij.

'Ik blijf bij Pluto,' zegt zijn broertje vastberaden. Hij legt zijn arm over de rug van de hond alsof hij bang is dat de politie hem mee zal nemen.

'Gaan we nu?' Oom Frans is al op weg naar de deur.

'Ja, ik kom al.' Marnix haast zich achter hem aan. Max en Myrthe maakt het misschien niet uit, maar zelf wacht hij liever tot de politie weer vertrokken is. Daarom moet hij proberen om het afbreken van de tent zoveel mogelijk te rekken en als dat niet lukt moet hij iets anders verzinnen.

17. Modder

Als ze even later bij het hek aankomen, gaat het vanzelf open.

'Gaaf,' zegt Marnix. 'Toen we hier de eerste keer kwamen, gebeurde dat niet.'

Oom Frans glimlacht. 'Dus jullie zijn hier al eerder geweest,' stelt hij vast.

'Ja, dat was op zondag, maar toen waren ze niet thuis.'

'Zondag...' Oom Frans is even stil. 'Dus toen was je vader al meer dan een etmaal weg?'

Marnix knikt.

'En al die tijd zaten jullie daar in dat bos op hem te wachten?'

Marnix knikt opnieuw. Alle herinneringen komen opeens weer boven. Zijn ongerustheid en angst over wat er met pap was gebeurd. Zijn zorgen om Max en Myrthe, die net als hij vergingen van de dorst. Oom Frans zal het allemaal wel begrijpen. En ineens begint hij te vertellen. Van zijn pogingen om mam te bellen tot hun plundering van de moestuin. Van hun bezoek aan de supermarkt tot hun ontsnapping uit het kantoortje.

'Nu begrijp ik waarom je de politie liever ontloopt.' Oom Frans grinnikt. 'Maar jullie hadden er niet vandoor hoeven gaan,' gaat hij verder. 'De politie was al een hele tijd naar jullie op zoek, maar niet voor winkeldiefstal. Als jullie gewoon in dat kantoortje waren gebleven, hadden we jullie daar gisteren al op kunnen halen.'

'En de baas van die supermarkt dan? Die had ons nooit laten gaan. Hij had Max bij zijn arm vast alsof hij een gevaarlijke crimineel was. Hij belde de politie heus niet omdat hij een paar zielige verdwenen kindertjes had gevonden.'

Oom Frans lacht. 'Nee, maar hij wist ook nog niet dat er drie kinderen werden vermist. Dat hoorde hij pas toen de politie kwam, maar toen waren jullie al weg.'

'Als we dat hadden geweten...' Marnix staart verbluft voor zich uit. 'Hier rechtsaf het bos in,' zegt hij opeens.

Oom Frans remt zo abrupt dat de auto even doorslipt. Hij moet een paar meter achteruit voordat hij het bospad in kan draaien. 'De politie was al sinds zondag naar jullie op zoek,' zegt hij als ze weer rijden.

'En mam?' vraagt Marnix. 'Die moet toch veel eerder hebben ontdekt dat we weg waren?'

'Ja, natuurlijk.' Oom Frans denkt even na. 'Ze belde me vrijdag, zo rond half zeven. We zaten nog aan tafel. Ik hoorde meteen aan je moeders stem dat er iets mis was. Maarten was niet thuisgekomen, zei ze, en jullie waren er ook niet. Ze had iedereen al gebeld, maar niemand had jullie gezien. Ze vertelde toen van de ruzie die ze met je vader had gehad en ze vermoedde daarom dat hij jullie had meegenomen, alleen had ze geen idee waarheen. Omdat ze nogal van de kook was, ben ik meteen naar haar toe gegaan. Samen hebben we toen het huis doorzocht naar aanwijzingen. We ontdekten dat er tassen weg waren en dat er kampeerspullen ontbraken, maar we vonden niets over een reisdoel. Je moeder hoopte op een telefoontje. Toen ze de volgende dag nog niets had gehoord ben ik met haar naar de politie gegaan. Daar heeft ze aangifte gedaan van de vermissing van je vader en van jullie.'

Marnix is er even stil van. 'Wat zei de politie?' vraagt hij dan.

'Ze zeiden dat ze naar de auto uit zouden kijken. Ook zouden ze de politie in België en Duitsland waarschuwen.'

'Maar daar zaten we niet.'

'Nee.' Oom Frans schudt zijn hoofd. 'Gelukkig kreeg je moeder de volgende dag al een telefoontje van de Luxemburgse politie. Ze schrok natuurlijk van het bericht dat je vader in het ziekenhuis lag, maar toen ze naar jullie vroeg, bleek de politie van niets te weten. Daarom zijn ze diezelfde dag nog met een zoekactie begonnen.'

Marnix zucht. 'Wat zal mam ongerust zijn geweest,' zegt hij.

Oom Frans knikt. Een hele poos zegt hij niets. Intussen geeft Marnix aanwijzingen hoe ze moeten rijden.

'Je vertelde net dat jullie eerder bij die mensen hebben aangebeld,' begint oom Frans opeens weer, 'en dat die hond in dat bed met worteltjes stond te graven.'

Marnix knikt.

'Liep dat beest dan los?'

'Ja.'

'Liet hij zomaar toe dat jullie op zijn terrein kwamen?'

Marnix begrijpt opeens wat oom Frans bedoelt. 'Het is zijn eigen terrein niet,' zegt hij.

'Niet?' vraagt oom Frans verbaasd.

'Nee.' Marnix aarzelt even. Dan besluit hij om het maar te vertellen. 'Pluto is niet van die mensen,' zegt hij. 'Pluto is van ons, tenminste... Hij kwam zaterdag opeens bij ons aanlopen. Hij was mager en hij had duidelijk honger en toen hebben we hem de restjes van het eten van vrijdag gegeven. Vanaf dat moment is hij bij ons gebleven.'

'Hoe weten jullie dat hij Pluto heet?'

'Die naam heeft Max voor hem bedacht.' Marnix vertelt wat hij van Maria over de hond heeft gehoord.

'Dus het is een zwerver.'

'Ja. Hier moeten we naar links,' laat Marnix er meteen op volgen. De wielen slippen als ze het andere pad opdraaien.

Oom Frans schakelt terug. 'Ik begrijp uit je woorden dat jullie de hond graag willen houden,' zegt hij half vragend.

Marnix knikt. 'Ik ben alleen bang dat mam het niet goed vindt.'

'Daar zou je wel eens gelijk in kunnen hebben. Je moeder heeft het niet zo op honden.'

'Dus jij denkt ook dat we hem niet mogen houden?'

'Ik denk niks.' Oom Frans klopt hem geruststellend op zijn dijbeen. 'Pluto lijkt me een leuk beest en volgens mij vond je moeder dat ook.'

'Dat zei ze alleen om iets aardigs tegen Maria te zeggen.'

Oom Frans haalt zijn schouders op en zegt verder niets.

Mismoedig staart Marnix voor zich uit. Hoe kan hij zijn oom uitleggen hoe belangrijk de hond voor hen was toen ze zo alleen waren? 'Als Pluto niet bij ons was geweest,' begint hij, 'dan hadden we... Stop!' roept hij opeens.

Oom Frans trapt hard op de rem. 'Wat is er?' vraagt hij geschrokken.

'N...niets,' hakkelt Marnix, 'maar na de volgende bocht komt er een heel modderig stuk. Ik wou alleen maar even zeggen dat je daar extra moet uitkijken. Pap kwam er ook bijna vast te zitten. Door de regen is het alleen nog maar slechter geworden. Toen we er vanmorgen langskwamen, moesten we vlak langs de bomen lopen om niet tot onze enkels weg te zakken. Maar als je goed de rechterkant aanhoudt, kom je er wel doorheen.'

Oom Frans knikt alleen.

Gespannen kijkt Marnix hoe zijn oom terugschakelt voordat hij de bocht om gaat. Een ogenblik laat hij het gaspedaal los, dan springt de auto met brullende motor vooruit. Schuddend van links naar rechts ziet Marnix de bomen rakelings aan zich voorbijschieten. Zijn oom heeft al zijn stuurmanskunst nodig om de auto in bedwang te houden; dan opeens zijn ze erdoorheen.

'Dat ging maar op het nippertje goed,' zegt oom Frans. 'Het laatste stuk voelde ik hoe de wielen hun grip begonnen te verliezen. Maar terug zal het wel makkelijker gaan, want dan daalt het pad.'

Als ze even later de open plek op rijden, stopt hij vlak naast de tent. 'Dus hier hebben jullie al die tijd gezeten,' zegt hij. Zwijgend laat hij zijn ogen over de tent en de rest van de omgeving glijden. 'En wat betreft die hond,' zegt hij opeens, 'daar vinden we wel wat op. Je moet de moed niet opgeven.'

Voordat Marnix kan vragen of hij soms een plannetje heeft, stapt zijn oom uit en verdwijnt de tent in. Hij komt er met twee slaapzakken uit.

'Als jij nu de luchtbedden leeg laat lopen dan laad ik de rest van de bagage in de auto,' zegt hij.

Een poosje werken ze zwijgend door. Als de tent leeg is, breken ze hem samen af.

'Verzamel jij het afval nog even?' vraagt oom Frans.

Steels kijkt Marnix op zijn horloge. Tien voor half drie. Hij moet tijd zien te rekken. Op zijn dooie gemak zoekt Marnix de blikken en de andere rommel bij elkaar en gooit ze een voor een in de doos.

'Kom, we moeten opschieten,' zegt oom Frans. 'Of

wacht je liever tot de politie is vertrokken?'

'Nee, hoor,' antwoordt Marnix zo onschuldig mogelijk.

Oom Frans lacht. 'Zit er maar niet over in,' zegt hij. 'Ze komen niet voor die gestolen spullen. Ze begrijpen heus wel dat jullie honger hadden.'

Marnix knikt alleen. Dat weet hij ook wel, maar de Engelse drop en de roze koeken zitten hem niet lekker. Hij hoopt niet dat die agenten daarover beginnen. Hij wil dat liever aan mam vertellen als ze thuis zijn.

Het is vijf voor half drie als ze instappen. Oom Frans keert de auto en dan rijden ze terug. Nog één keer kijkt Marnix om. Ondanks alles is hij de open plek in het bos toch een beetje als hún plekje gaan zien.

Opeens moet hij weer aan zijn vader denken. Vanavond zal hij hem na al die dagen weer terugzien. Hij had verwacht dat hij vreselijk blij zou zijn, maar dat is hij niet. Hij voelt zich eerder bedrukt. Hoe zou het gaan als hij weer thuis is? Zou hij dan weer beginnen met ruziemaken? 'Ben jij nog bij pap in het ziekenhuis geweest?' vraagt hij opeens.

Oom Frans knikt.

'Samen met mam?'

'Ja. We waren vanmorgen nog bij hem.'

'En, hoe gaat het?'

'Een stuk beter. Hij zat weer rechtop in zijn bed en hij had weer een hoop praats.'

Verschrikt kijkt Marnix zijn oom aan. 'Deed hij weer lelijk tegen mam?'

'Nee, hoor. Hij was juist heel vrolijk. Hij is blij dat

hij weer naar huis mag.'

Marnix kan het zich nauwelijks voorstellen. Zijn vader vrolijk... De laatste tijd heeft hij hem zelden horen lachen en als hij lachte was het geen vrolijke lach.

'Wees maar niet ongerust,' zegt oom Frans opeens. 'Het komt allemaal wel weer goed. Je vader is behoorlijk overspannen. Met die extra uren heeft hij gewoon veel te veel hooi op zijn vork genomen. Dat ziet hij nu ook wel in. Toen hij wat op begon te knappen heeft je moeder lang met hem gepraat en hij heeft haar beloofd om het voortaan rustiger aan te doen. Trouwens, hij moet wel.' Oom Frans grinnikt. 'Met die gekneusde ribben kan hij voorlopig niet veel. Hij is nu wel verplicht om rust te...'

'Pas op!' roept Marnix plotseling.

Oom Frans geeft nog een ruk aan het stuur, maar het is al te laat. De auto komt midden in het modderige stuk tot stilstand.

Verschrikt kijkt Marnix zijn oom aan. 'Wat nu?'

'Er weer uit zien te komen.' Oom Frans schakelt terug naar de eerste versnelling en geeft voorzichtig gas, maar de wielen slippen door en graven zich alleen maar dieper in de modder. Dan probeert hij het in zijn achteruit. Even lijkt het te lukken, maar het volgende ogenblik glijden ze weer terug. 'Nou, daar zijn we mooi klaar mee,' foetert hij. 'En door alle haast heb ik mijn gsm ook nog in het hotel laten liggen. We zullen dus ergens hulp moeten gaan halen. In het dorp hebben ze vast wel een...'

'Maar dat is meer dan anderhalf uur lopen,' roept

Marnix, 'als het niet langer is... We kunnen er ook uitkomen door takken onder de wielen te leggen. Dat hebben we in Zweden ook een keer gedaan, toen we in de modder vastzaten.'

'Hmm,' bromt oom Frans. Hij zet de motor af. 'Takken zijn hier genoeg, dus laten we het maar proberen. Veel keus hebben we niet. Het wordt alleen wel een heel smerig karweitje.'

Als Marnix het portier opendoet, schrikt hij. De auto staat bijna tot de onderkant in de modder. Hij moet dan ook even slikken voordat hij uitstapt. Zijn gympen zuigen zich meteen vast en bij elke stap kost het moeite om ze weer los te trekken.

Oom Frans stapt ook uit. 'Had ik nu mijn laarzen maar bij me,' moppert hij.

Ze gaan meteen aan de slag. Het verzamelen van takken is niet moeilijk. In het bos liggen er genoeg, maar om ze stevig onder de wielen te duwen is nog niet zo eenvoudig.

Een kwartiertje later staan ze hijgend naar het resultaat van hun inspanningen te kijken.

'Zo moet het lukken,' zegt oom Frans terwijl hij het zweet van zijn voorhoofd veegt.

Marnix begint te lachen. 'Je zou jezelf eens in de spiegel moeten zien,' zegt hij. 'Je ziet er niet uit.'

'Wat dacht je van jezelf?' kaatst oom Frans terug.

Als Marnix zichzelf in een autospiegel bekijkt, zegt hij maar niets meer. Hij is net onder de douche geweest, maar hij is nog smeriger dan daarvoor. De modder zit niet alleen op zijn gezicht, maar ook in zijn haar.

Voordat ze instappen, scheurt oom Frans de kartonnen doos in twee stukken en legt ze op de vloer van de auto. 'Zo worden de matten niet zo smerig,' zegt hij. Dan start hij de motor. Voorzichtig geeft hij gas. De voorwielen lijken even grip te krijgen op de takken, maar zakken dan toch weer terug. Hij probeert het telkens opnieuw, maar ten slotte geeft hij het op.

'Zal ik duwen?' vraagt Marnix.

Oom Frans haalt zijn schouders op. 'Je kunt het proberen, maar veel zal het niet uithalen.'

Marnix stapt uit en glibbert naar de achterkant van de auto. Hij zet zijn handen tegen de achterklep, maar hij weet meteen dat het niet veel uit zal halen: zijn voeten glijden steeds weg. Opeens voelt hij een boomwortel onder de modder. Hij plaatst zijn schoen er stevig tegenaan. 'Ja, rijden maar!' roept hij.

Zodra het geluid van de motor aanzwelt, duwt hij uit alle macht. Hij zet zijn hele gewicht erachter. Even lijkt het of zijn inspanning helemaal niets uithaalt, maar dan schiet de auto opeens naar voren. Hoewel hij erop bedacht was, kan hij zijn evenwicht niet meer bewaren en valt hij languit voorover. Woedend probeert hij er een paar scheldwoorden uit te gooien, maar er komt alleen een onduidelijk gesputter uit zijn mond. Hij spuugt net zolang tot alle viezigheid eruit is, maar het blijft knersen tussen zijn tanden.

Als hij overeind krabbelt ziet hij dat de auto even verderop weer op vaste grond staat. Oom Frans staat ernaast en probeert overduidelijk zijn lachen in te houden.

'Leuk, hè?' schreeuwt Marnix woest.

Oom Frans schudt zijn hoofd, dan barst hij uit in een schaterende lach. 'Sorry,' roept hij, 'maar je zou jezelf eens moeten zien.'

Marnix laat zijn ogen over zijn kleren glijden. Zijn handen, zijn rode jack en zijn spijkerbroek zijn bedekt met een grauwzwarte vieze prut. En zijn gezicht zal er dus wel niet veel anders uitzien. Terwijl hij voorzichtig, om niet nog eens languit te gaan, naar de auto begint te lopen, zakt zijn boosheid.

'Je kan nu wel om me lachen,' zegt hij als hij er bijna is, 'maar ik zal toch smerig en wel in je schone auto moeten stappen.'

Oom Frans' gezicht betrekt. 'Wacht even,' zegt hij een beetje paniekerig. Hij duikt in de achterbak en komt tevoorschijn met een badhanddoek. 'Probeer de modder hiermee een beetje van je af te krijgen.'

Marnix begint met zijn gezicht, maar als ook zijn handen min of meer schoon zijn is de handdoek even smerig als zijn kleren. 'Zo kan het wel, hè?' Hij weet hoe netjes oom Frans op zijn auto is en met een effen gezicht opent hij het portier om in te stappen. Voordat oom Frans kan protesteren, zegt hij met een vette grijns: 'Zal ik mijn vieze kleren dan maar eerst even uittrekken?'

18. Pluto

Het eerste dat Marnix ziet als ze op het huis toe rijden, is dat er geen politieauto staat. Terwijl hij uitstapt, gaat de voordeur open en komen Maria en zijn moeder naar buiten.

'Waar bleven jullie?' roept mam. 'Ik begon me al ongerust te maken.' Verschrikt slaat ze een hand voor haar mond. 'Wat zie je eruit en waar zijn je kleren en je gympen?' vraagt ze.

'Dat vertel ik zo wel,' zegt Marnix, 'maar waar is de politie? Die zou toch komen?'

'Ze zijn net vertrokken. Ze hebben nog een tijdje op je gewacht, maar ze kregen een dringende oproep en moesten weg.'

Marnix probeert niet te laten merken hoe opgelucht hij is. Zouden ze het nog over de winkeldiefstal gehad hebben? Hij durft het niet te vragen.

'We hebben met de auto vastgezeten in de modder,' zegt oom Frans die intussen ook is uitgestapt. Hij vertelt in het kort wat er is gebeurd.

'Vandaar dat jullie zo smerig zijn.' Marnix' moeder

kijkt even schuins naar Maria. 'We moeten maar gelijk weggaan,' gaat ze verder, 'want zo kunnen jullie niet naar binnen.'

'Maar zo kunnen ze ook niet in het hotel aankomen,' zegt Maria. 'Ze kunnen zich toch wel even bij ons in de badkamer wassen?'

'Dat willen we u niet aandoen,' zegt oom Frans. 'Dan is meteen uw hele huis vuil.'

'Daar om de hoek is een kraantje,' zegt Maria. 'Daar kunt u in elk geval uw schoenen even afspoelen. Marnix weet de weg.' Ze geeft hem een knipoogje.

Marnix voelt hoe hij kleurt. Het is weliswaar een grapje, maar toch...

Oom Frans trapt zijn schoenen uit. 'Ik was mezelf daar gelijk ook even,' zegt hij.

'Dat zou ik niet doen,' zegt Maria. 'Het water is ijskoud.'

'Daar kan ik wel tegen, hoor, mevrouw.' Oom Frans lacht. 'Ik ben geen watje. En Marnix is volgens mij ook niet bang voor een beetje koud water.'

Marnix mompelt iets onverstaanbaars. Hij was liever onder de warme douche gegaan.

'Jullie zijn wel twee bikkels, hoor,' zegt Maria bewonderend. 'Ik haal gauw even twee badhanddoeken.'

Terwijl oom Frans naar de kraan loopt, gaat Marnix naar de auto terug om zijn gympen te pakken. Op dat moment komt zijn broertje met Pluto het huis uit.

'Waarom loop jij in je onderbroek?' vraagt hij.

'Omdat mijn kleren onder de modder zitten,' antwoordt Marnix.

Max grinnikt. 'Je gezicht en je handen ook.'
Marnix haalt zijn gympen uit de achterbak.
'Hebben jullie soms vastgezeten in dat modderige stuk?' vraagt Max.
Marnix knikt alleen.
'Dus daarom kwamen jullie maar niet terug.'
Marnix slaat zijn gympen tegen elkaar om de ergste modder eraf te krijgen.
'Ik dacht dat je zolang wegbleef omdat je bang was voor de politie,' zegt Max.
'Helemaal niet,' protesteert Marnix. 'Trouwens, ík hoef niet bang voor ze te zijn, ík heb niks gepikt.'
'Daar hebben ze het niet eens over gehad,' zegt Max.
'O, nee?' Marnix kijkt verbaasd op.
'Nee, ze hebben er niks over gezegd. Ze zeiden alleen dat ze overal naar ons gezocht hadden en dat ze blij waren dat we terecht waren en...'
'Spraken ze dan Nederlands?'
'Nee. Maria vertaalde alles wat ze zeiden. Ze hebben het niet eens over die supermarkt gehad.'
'Hmm,' bromt Marnix alleen en loopt dan naar de kraan.
Oom Frans draait hem net dicht. Blijkbaar heeft hij zijn hele bovenlijf eronder gehouden want het water druipt van hem af. 'Ik ben klaar, hoor,' zegt hij. 'Je kan erbij.'
Even weifelt Marnix nog, maar hij wil zich niet laten kennen. Hij draait de kraan wijd open en gooit het water met handenvol over zich heen. Hij poetst en hij

wrijft tot alle modder van zijn lijf is. Zelfs zijn haar is weer schoon.

Op dat moment komt Maria met twee badhanddoeken aangelopen. Ze geeft hen er allebei een. 'Stoere mannen, hoor,' zegt ze.

Marnix droogt zich zo stevig af dat zijn huid ervan begint te tintelen.

'Hebben jullie wel schone kleren bij je?' vraagt Maria bezorgd.

'Mijn kleren kan ik nog wel aan,' antwoordt oom Frans. 'In het hotel trek ik wel iets anders aan.'

'En mijn tas met kleren staat in de auto,' zegt Marnix.

Even later gaan ze schoon en opgefrist naar binnen.

'Waar is Max?' vraagt Marnix.

'Die laat Pluto even uit,' antwoordt Maria.

Marnix werpt een steelse blik op haar gezicht. Zou ze het met mam over Pluto hebben gehad terwijl hij weg was?

'Zo'n hond is echt iets voor Max,' zegt oom Frans opeens.

Mam knikt. 'Max wil al een hele tijd een hond. Een tijdje geleden hebben Maarten en ik het er nog over gehad om hem voor zijn verjaardag dan maar een pup te geven, maar dat kan nu voorlopig niet. Maarten heeft rust nodig. Maar als hij is opgeknapt dan kunnen we wel eens uit gaan kijken naar...' Ze wordt onderbroken door de bel.

Maria staat op om open te doen. Even later klinkt

het gekras van nagels over de tegels van de gang en het volgende moment komt Pluto hijgend de kamer binnen.

'Ik heb takken met hem gegooid,' zegt Max, 'en hij bracht ze aldoor netjes terug. En hij komt nu ook terug als ik hem roep. Hij luistert echt goed.'

'Een keurig opgevoede hond dus,' zegt mam. Ze lacht even naar Maria.

'Nee, dat heb ik hem net geleerd,' zegt Max.

Mam schudt ongelovig haar hoofd.

'Ja, echt wel!' roept Max. 'Pluto is hartstikke slim. 'Hij begrijpt alles wat je zegt. En hij kan ook spoorzoeken. Toen we een keer in het donker de tent niet meer terug konden vinden, wist hij de weg.'

Mam fronst. Marnix houdt zijn adem in. Begrijpt ze het nou of niet...? 'Is hij dan met jullie meegelopen?' vraagt ze.

'Ja, en hij heeft ook bij ons in de tent geslapen.'

Mam kijkt verbaasd naar Maria. 'Waren jullie niet ongerust dat jullie hond weg was?' vraagt ze.

Maria probeert een glimlach te verbergen. 'Het is onze hond niet,' zegt ze opeens schuldbewust.

'Hè?' Mam kijkt verbijsterd van de een naar de ander. 'Van wie is hij dan?'

'Van ons,' zegt Max meteen. 'Papa was net weg en toen was hij er opeens. We hebben hem eten gegeven en toen is hij bij ons gebleven.'

Mam schudt haar hoofd. 'Maar je kunt een hond toch niet zomaar houden?'

'Waarom niet?'

'Omdat hij van iemand is.'

'Hij is van niemand,' komt Marnix ertussen. Hij gebaart naar Maria. Die knikt en vertelt wat ze weet.

Verbluft luistert mam, maar als Maria zwijgt, schudt ze van nee. 'Het is een heel zielig verhaal, maar ik begin nu echt niet aan een hond en zeker niet aan zo'n grote.'

'Maar wat moeten we dan met hem?' roept Marnix uit. 'Behalve ons heeft Pluto niemand! We kunnen hem hier toch niet gewoon achterlaten?'

Zijn moeder kijkt naar Maria. 'Er is hier vast wel ergens in de buurt een asiel waar we hem heen kunnen brengen. De kans dat hij daar een nieuw baasje...'

'Ík ben zijn baasje!' roept Max. 'En ik wil niet dat Pluto naar een asiel gaat.' Dan barst hij in tranen uit.

Myrthe begint ook te huilen. 'Pluto mag niet naar een asiel,' snikt ze. 'Als hij er niet was geweest dan...' Ze kan niet verder praten.

Mam trekt hen allebei naar zich toe. 'Jullie begrijpen toch wel dat we nu geen hond in huis kunnen hebben? De dokter heeft gezegd dat papa...'

'Mag ik misschien een voorstel doen?' komt Maria er opeens tussen. 'Mijn man en ik hebben het over de hond gehad,' gaat ze verder. 'Het is een lief dier met een goed karakter en ik begrijp best dat jullie hem niet naar een asiel willen brengen. Maar misschien hebben wij een oplossing. Vorig jaar is onze hond gestorven. Eigenlijk waren we niet meer van plan om een andere hond te nemen, maar Pluto heeft ons hart gestolen. Daarom stel ik voor dat hij hier bij ons blijft en...'

'Als Pluto hier blijft, dan blijf ik ook!' gilt Max opeens.

'Toe nou, Max,' zegt mam sussend. 'Dat kan niet. Je kunt toch niet...'

'Dat kan wel! Ik ga gewoon weer in de tent slapen.'

'Max, rustig nou even,' zegt oom Frans. Hij trekt Max naar zich toe. 'Je kunt niet meer in de tent slapen, mijn jongen. Je weet toch dat we hem net hebben afgebroken?'

'Dat zet ik hem wel weer op!' Max rukt zich los en rent de kamer uit.

Oom Frans staat op, maar Marnix gebaart hem te blijven zitten. 'Ik ga wel achter hem aan,' zegt hij.

Buiten ziet hij Max bij de auto van oom Frans staan. Zijn broertje staat luid snikkend aan de klep van de achterbak te rukken, maar die zit blijkbaar op slot. Haastig loopt Marnix erheen. 'Max, hou even op en luister,' begint hij.

'Nee!' Max duwt hem opzij, maar Marnix houdt hem vast.

'Lamelos!' schreeuwt Max. 'Ik moet de autosleutels van oom Frans hebben.'

'Waarvoor?'

'Om de auto open te maken. Ik moet de tent hebben en mijn slaapzak. Ik blijf hier bij Pluto.'

Marnix probeert zijn broertje te kalmeren, maar hij lijkt alleen maar meer overstuur te raken. 'Toe nou, Max. Je weet zelf ook wel dat je hier niet kan blijven. Hoe moet je aan eten komen en wat als het straks echt koud wordt?'

Max wrijft verwoed de tranen uit zijn ogen. 'Ik krijg wel wat van Maria en ik vind kou niet erg.'

Marnix weet niet meer hoe hij zijn broertje moet kalmeren. 'En pap dan?' zegt hij opeens. 'Denk je niet dat pap je vreselijk zal missen als je hier blijft?'

Daar moet Max even over nadenken. 'Ik vraag wel of ik mama's mobieltje mag hebben,' zegt hij opeens. 'Dan kan ik papa opbellen.'

'Dat is het!' roept Marnix plotseling uit.

'Wat?' vraagt Max. Hij vergeet zomaar te huilen.

'We moeten pap bellen!' roept Marnix. 'Hij is de enige die echt kan bepalen of een hond te druk voor hem is of niet.'

Sprakeloos kijkt Max hem aan. Dan roept hij: 'Ík wil papa bellen en het hem vragen!' Voordat Marnix nog iets kan zeggen rent Max terug.

Marnix haast zich achter hem aan. Ze stormen tegelijk de kamer binnen.

'Mama, mag ik je telefoontje even?' roept Max.

Verbaasd kijkt ze hem aan. 'Waarvoor?'

'Om papa te bellen! Ik wil het hem zelf vragen of Pluto te druk voor hem is.'

Allemaal kijken ze sprakeloos naar Max.

Oom Frans is de eerste die iets zegt. 'Dat is niet eens zo'n gek idee. Maarten kan het beste zelf de beslissing nemen.'

Marnix ziet hoe zijn moeder aarzelt. 'Je kan het toch aan pap vrágen?' zegt hij.

'Jawel, maar ik zit ermee als het achteraf niet goed gaat.'

‘Ik denk dat je dat te somber ziet, Marion,’ zegt oom Frans. ‘Pluto kan wel eens de hond zijn die Maarten er weer bovenop helpt. Het bezorgt hem afleiding als jij naar je werk bent en de kinderen naar school zijn. Bovendien, wat is er beter voor iemand die overspannen is, dan een stevige wandeling met de hond?’

Mam zucht. ‘Ik bel hem zelf liever even,’ zegt ze alleen. Ze haalt haar mobieltje uit haar tas en verdwijnt ermee de gang in. De kamerdeur trekt ze achter zich dicht.

Even later hoort Marnix zijn moeder praten. Hij kan niet verstaan wat ze zegt.

‘Willen jullie nog wat drinken?’ vraagt Maria.

Marnix schudt alleen zijn hoofd. Hij luistert gespannen. Het gesprek duurt lang.

Opeens gaat de deur weer open en mam komt de kamer binnen.

‘En?’ vraagt hij ongeduldig.

‘Papa vindt dat, na alles wat jullie hebben meegemaakt, we de hond niet naar een asiel kunnen brengen. Daarom vindt hij het goed dat...’ Mam komt niet verder, want Max vliegt haar om de hals. Myrthe begint weer te huilen. Troostend trekt oom Frans haar naar zich toe. Marnix slaat zijn armen om Pluto heen en verbergt zo zijn tranen.

Niet lang daarna nemen ze afscheid van Maria en Louis. Ze bedanken hen nog eens uitvoerig en er worden adressen en telefoonnummers uitgewisseld. Als ze naar de auto lopen, rent Pluto nerveus om hen heen.

'Ja, jij gaat mee,' zegt Marnix.

Oom Frans opent de achterbak en verplaatst een paar tassen zodat er een plekje vrijkomt. Het is of de hond begrijpt dat het voor hem is, want hij springt meteen in de auto en gaat liggen alsof hij niet van plan is er ooit nog uit te komen.

Nadat iedereen elkaar nog een keer heeft omhelsd, stappen ze in en even later rijden ze weg.

Met zijn arm buiten de auto wuift Marnix totdat hij Maria en Louis niet meer kan zien, dan doet hij het raampje dicht. Hun avontuur is voorbij. Alles is toch nog goed gekomen. Pap wordt weer helemaal beter en tussen zijn ouders lijkt het ook weer in orde te zijn. Bovendien mogen ze Pluto houden. Achter zich hoort hij de hond hijgen. Hij legt zijn arm over de rugleuning en kriebelt hem geruststellend achter zijn oren.

Als ze het hek uitrijden, komt er opeens een heldere vrouwenstem uit het navigatiesysteem: 'Deze weg vijf kilometer volgen.'

'Gaan we meteen door naar het ziekenhuis?' vraagt Marnix.

'Nee, we gaan eerst naar het hotel,' antwoordt zijn moeder. 'Daar kunnen jullie je dan even opknappen voordat we gaan eten. En daarna...'

'En Pluto dan?' onderbreekt Max haar. 'Die moet ook eten.'

Mam kijkt naar oom Frans. 'Kunnen we onderweg niet ergens hondenvoer voor hem kopen,' vraagt ze.

Oom Frans knikt.

'Wat doen we eigenlijk met Pluto als we naar pap

gaan?' vraagt Marnix. 'Ik neem aan dat een hond niet mee mag in het ziekenhuis?'

'Ik blijf wel bij hem,' zegt oom Frans. 'In de buurt van het hotel is een park, daar kan ik hem meteen even uitlaten.'

'Maar we hebben geen riem,' zegt Max. 'Alleen een stukje touw.'

'Daar vind ik wel wat op,' stelt oom Frans hem gerust.

Terwijl Marnix de bekende route naar het dorp aan zich voorbij ziet gaan, bedenkt hij opeens dat ze ook nog geen mand voor hem hebben. Die zullen ze moeten kopen en ook een etensbak en hondenvoer. En als ze een riem kopen, hoort daar eigenlijk ook een nieuwe halsband bij. Zo eentje met een metalen plaatje, waar zijn naam en adres in gegraveerd staan voor als hij verdwaalt.

'Over zevenhonderd meter rechts afslaan,' onderbreekt de vrouwenstem zijn gedachten.

Marnix ziet dat ze de eerste huizen van het dorp al voorbij zijn. Nog even en dan zijn ze bij de kruising met de doorgaande weg. 'Hoe lang is het rijden?' vraagt hij.

'Ruim een uur,' antwoordt oom Frans.

'Over tweehonderd meter rechts afslaan,' helpt de stem hem herinneren.

Voor de kruising remt oom Frans af en zet zijn richtingaanwijzer uit. Als de weg vrij is, slaat hij linksaf.

Marnix buigt zich naar voren. 'Hé, we moesten hier naar rechts, hoor,' zegt hij.

'Ja, dat weet ik,' zegt oom Frans, 'maar ik wil eerst nog even ergens anders heen.'

'Waarheen dan?'

'Naar de supermarkt hier een eindje verderop.'

'Wou je dáár hondenvoer kopen?' vraagt hij verschrikt.

'Ja, en ook nog even iets betalen.' In de achteruitkijkspiegel geeft oom Frans hem een geruststellend knipoogje.

Opeens begrijpt Marnix het.

'Wat bedoel je?' vraagt mam.

'Dat vertellen we je zo wel, Marion,' antwoordt oom Frans.

'Als je maar niet denkt dat ik mee naar binnen ga,' zegt Myrthe opeens.

'Ik ook niet,' piept Max.

Oom Frans lacht. 'Jullie hoeven niet bang te zijn,' zegt hij geruststellend. 'Ik ben erbij. We gaan gewoon de supermarkt in en we vragen de baas te spreken. Hij weet inmiddels van de omstandigheden waarin jullie verkeerden. Hij zal jullie dus niets kwalijk nemen en al helemaal niet als jullie de spullen netjes komen betalen.'

'Maar we hebben geen geld meer,' zegt Myrthe.

'Maar ik wel,' zegt oom Frans.